HANGJIA DAINIXUAN

行家带你选

青 瓷

姚江波 ／ 著

中国林业出版社

图书在版编目 (CIP) 数据

　　青瓷／姚江波著 . － 北京：中国林业出版社，2019.1
　　（行家带你选）
　　ISBN 978－7－5038－9882－2

　　Ⅰ. ①青…　Ⅱ. ①姚…　Ⅲ. ①青瓷（考古）－鉴定－中国
Ⅳ. ① K876.34

　　中国版本图书馆 CIP 数据核字 (2018) 第 279254 号

策划编辑　徐小英
责任编辑　赵　芳
美术编辑　赵　芳

出　　　版　中国林业出版社(100009 北京西城区刘海胡同7号）
　　　　　　http://lycb.forestry.gov.cn
　　　　　　E-mail:forestbook@163.com　电话：(010)83143515
发　　　行　中国林业出版社
设计制作　北京捷艺轩彩印制版技术有限公司
印　　　刷　北京中科印刷有限公司
版　　　次　2019 年 1 月第 1 版
印　　　次　2019 年 1 月第 1 次
开　　　本　185mm×245mm
字　　　数　203 千字（插图约 400 幅）
印　　　张　12
定　　　价　75.00 元

天青釉汝瓷标本 · 宋代

青瓷盘 · 清代

汝窑瓶 · 当代仿宋

景德镇窑青白瓷盏·元代

◎ 前　言

　　瓷器是中国的伟大发明和创举。瓷器发端于青瓷，经过商周时期原始青瓷的酝酿，秦汉以降，终于在东汉晚期青瓷烧制成功。成熟的青瓷产生以后，餐桌上再也见不到粗质的陶和原始青瓷器皿。青瓷以前所未有的速度取代了陶器和原始青瓷，成为人们日常生活中的用具，以独特的魅力登上了历史舞台。青瓷在很短的时间内就发展至顶峰，六朝时期的越窑青瓷在釉色上达到了青色的尽头，青翠欲滴。同时期还产生了婺州窑、瓯窑等历史名窑，在工艺上都达到了较高水平，文献广为记载。如晋杜毓《赋》"器择陶拣，出自东瓯"。至隋唐五代时期，青瓷进一步向北方地区发展，与北方地区的邢窑白瓷形成了"南青北白"的瓷业格局。宋代中国古代瓷器进入鼎盛期，青瓷更是以前所未有的速度继续发展，并形成了几个大的分支：一是以越窑、龙泉窑等青瓷为代表的传统青瓷；二是钧窑瓷器为代表以乳浊釉为显著特征的青瓷；三是以著名的官汝窑为代表的青瓷；四是以模仿汝窑和钧窑瓷器为主的"类汝似钧"釉；五是景德镇窑创造成功的青瓷的衍生色彩青白瓷。由此可见，中国古代青瓷在宋代全面鼎盛，达到了巅峰状态，不同的青瓷交错发展，贯穿于整个青瓷史。越窑青瓷在宋代显然已经衰落，被新兴起的龙泉窑所取代。龙泉窑在南宋时期烧造出了著名的梅子青和粉青釉，使其在釉色上达到尽头；在北方地区也出现了一些著名的青瓷窑场，以陕西耀州窑为代表，擅长于青瓷印花、刻划花工艺，造型繁多，隽永，雕刻凝烁，烧造出了诸多精美绝伦的青瓷。龙泉窑和耀州窑青瓷烧造时间很长，宋元时期都是烧造的鼎盛期，明清时期还有少量烧造，并形成了巨大的窑系，使其地域广及全国。钧窑以乳浊釉为显著特征，创烧于北宋时期，窑址在今天的河南禹县。其中，钧台窑址被认为是烧造宫廷瓷器的窑场，因属钧州而得名。钧瓷青釉是一种窑变釉，釉质肥厚，釉质黏稠，流动性很慢，色彩青中带红，蓝中带紫，仅其主流的色彩就有天青釉、天蓝釉、灰青釉、淡青釉、梅子青、青色泛蓝釉等，特点十分明确。青釉色彩飘忽不定，难以琢磨，"入窑一色，出窑万彩"，可见钧瓷青色无穷尽，也可以用"钧瓷无双"来形容。但宋代青瓷在工艺上达到最高水平的无疑为官、汝青瓷。官、汝窑的出现，使人们第一次清晰地看到了官窑与民窑的区别：不计工本，精美绝伦。官窑的纯美，汝窑的"香灰胎"，使人沉醉，在烧造水平上达到了青瓷器烧造的尽头。宋代顾文荐在《负暄杂录》中明确的说"汝窑为魁"、南宋《清波杂志》在记述汝窑瓷器时写到"汝

青瓷唾壶·唐代

窑宫中禁烧，内有玛瑙末为油。惟供御拣退，方许出卖"，由此可见，青瓷"官汝之韵"在当时是举世公认的名瓷。北宋灭亡后，南宋在杭州也设立了官窑，明《格古要论》载"汴京官窑色好者与汝窑相类"，从传世品来看也的确是这样。由此可推测，官窑和汝窑瓷器基本上相似。汝窑和钧窑的辉煌催生了民间仿烧的热潮，在同时期就出现了"类汝似钧"釉的青瓷产品，融合汝瓷与钧瓷的特点，数量多，品种全，在工艺上达到了一定的水平，客观上显然已经成了一个新的品类，为典型的宋代官、民窑瓷器交流的产物。青白瓷在中国古代瓷器史上占有重要的地位，产量很大，是人们日常生活中的用具，由景德镇窑创烧成功，并在景德镇窑当中完成了其鼎盛、衰落的全过程，宋元两代都非常流行，直至明清。由此可见，青瓷的辉煌与荣耀，但青瓷随着元代末期景德镇青花瓷的烧制成功，以及明代青花瓷的迅速普及而迅速衰落，既被青花瓷所取代。明初被排挤出了主流市场。不过，虽然失去主流地位，但青瓷在中国依然是窑火不熄，特别是在明清时期广大乡村使用的还是较为普遍。

青瓷在漫长的古瓷器烧造史中产生了众多的器物造型，尝试了不同烧造方法，精品力作犹如星河灿烂，使人们久久不能忘怀，影响十分深远。加之在历史上是人们生活中最常见的日常用品，存世量极大。留存于今天的中国古代青瓷承载着众多的历史信息，有待被我们发掘。青瓷被历代收藏者所热捧，过去青瓷作伪的器皿不多，但自20世纪80年代之后，在收藏热的助推下，作伪的青瓷大量出现，充斥着市场，各种作伪手法交织在一起，使人们真伪难辨。解决这些问题的方法，惟有从器物本身出发，来分析开片、化妆土、完残、窑口、原料、淘洗、杂质、夹砂胎、胎色等特征，剥离出鉴定要点，相辅相成，互为依托，将错综复杂的问题简单化，最终我们才能较为清晰地认识青瓷，准确地断时代、辨真伪、评价值，进行鉴定。以上是本书所要坚持的。但一种信念再强烈，也不免会有缺陷，希望不妥之处，读者们给予无私的批评和帮助。

姚江波

2018 年 12 月

◎ 目　录

龙泉窑青瓷盘·宋代

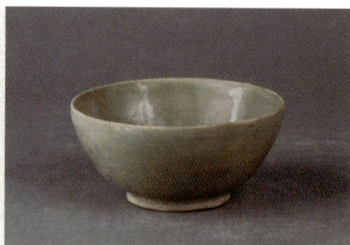
青瓷碗·宋代

青瓷盏·宋代

青釉泛黄青瓷盒·唐代

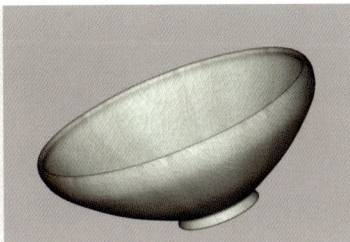
汝窑天青釉碗（三维复原图）·宋代

耀州窑青瓷罐·宋代

青瓷盘·清代

第一章 传统青瓷

第一节 综述

一、数量

青瓷，是中国古代最主要的日用瓷之一（图1-1），总量较大，烧造时间长，有1800多年的烧造历史，延续时间比较长。

由此可见，青瓷在总量上规模十分庞大，遗留到今天的青瓷十分常见。鉴定时应注意分辨。

图1-1 青瓷盒·唐代

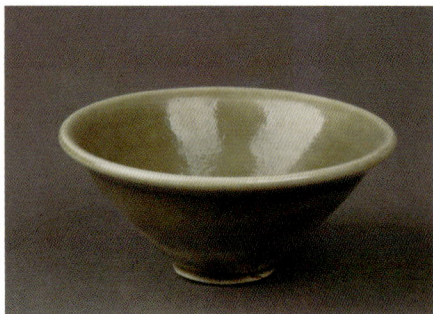

图1-2 茶具青瓷盏·宋代

图1-3 青瓷标本·宋代

二、品 相

中国古代青瓷由于历经漫长的岁月长河，在品相上的表现参差不齐，既有完好无损精美绝伦之器（图1-2），也有遍体鳞伤，残为碎片者（图1-3）。从数量上看，品相好的青瓷以墓葬出土为主，残缺者以遗址出土为多见。

由此可见，青瓷以品相好者切合"物以稀为贵"的规律，保值和升值的功能更为强大（图1-4），而品相差的青瓷在保值和升值上会大打折扣。鉴定时应注意分辨。

图1-4 耀州窑青瓷罐·宋代

三、胎 色

中国古代青瓷常见的胎色，主要有白胎、灰白胎（图 1-5）、橙红胎、橙黄胎、黑褐胎、褐胎、黄胎、灰胎等，可见胎色种类繁多。胎色直接可以反映出中国古代青瓷品质的优劣，主要是以色彩的纯正程度为显著特征。纯正程度越高，越稳定，胎体色彩在精致程度上越高，相反则越低。

图 1-5　灰白胎花腹青瓷标本·宋代

四、釉 色

中国古代青瓷釉色并不单纯，而是表现出复杂化的趋势（图1-6），常见的有天青、青灰、青褐釉、粉青、梅子青等。通常，这些釉色还具有较强的衍生性，如可以衍生成为青灰泛黄釉、青灰略泛蓝釉、青绿泛黄釉（图1-7）等。

由此可见，青瓷显然是由这些衍生色彩和基本色调共同组成的，而我们根据这些不同的釉色在不同时代、不同窑口，就可以剥离出大大小小的鉴定要点。

图1-6　龙泉窑青瓷花口盘标本·宋代

图1-7　青绿泛黄釉青瓷盒·唐代

五、窑 口

中国古代青瓷在窑口上特征鲜明（图 1-8）。

六朝时期首推越窑。越窑青瓷以"造型"和"釉色"取胜，产品受到人们青睐。在当时，没有一个窑场能够同越窑相媲美，婺州窑、瓯窑等基本上都处在越窑的巨大阴影之下。

入唐后，越窑青瓷与北方地区烧造白瓷的邢窑争夺市场份额，实际上形成了"南青北白"的瓷业格局。宋代越窑衰落，地位逐渐被龙泉窑取代（图 1-9），并形成了龙泉窑系。龙泉窑具有烧造早、时间跨度长的特点，烧造直至明清。

南宋时期的龙泉窑在烧造上达到最高水平，烧造出了著名的粉青和梅子青釉等瓷器。在北方地区形成了著名的耀州窑青瓷（图 1-10），烧造时间跨度也是非常长，釉色纯正，纹饰繁复，并最终发展成为巨大的窑系。

明清时期由于青花瓷的崛起，导致大多青瓷窑场纷纷崩溃，轰然倒下，名窑林立的青瓷窑场在中国消失。

图 1-8 龙泉窑青瓷盘·宋代

图 1-9 龙泉窑青瓷标本·宋代

图 1-10　耀州窑青瓷花卉纹标本·宋代

图 1-11　陈设装饰功能兼备的青瓷碗·宋代

六、功 能

中国古代青瓷器皿在功能上十分明确，主要以实用为主，兼具有装饰的功能（图 1-11）。如耀州窑青瓷斗笠盏，造型隽永，具有童话般的诗意，如痴如醉。青瓷作为人们日常生活器具，如青瓷盘承担着盛菜的功能，青瓷盒为妇女盛放脂粉的粉盒（图 1-12）。

由此可见，青瓷器皿在人们生活中的功能是细化的。另外，不同窑口的青瓷在功能特征上也会略有改变。鉴定时应注意分辨。

图 1-12　精美绝伦的青瓷盒·唐代

图 1-13 普通高岭土胎青瓷标本·明代

第二节 胎 质

一、高岭土胎

背景信息：高岭土胎的使用是青瓷烧制成熟的一个标志，这是由其自身所具有的许多优点决定的，如致密、坚硬、不变形等特点（图 1-13）。

鉴定要点：

（1）从胎色上鉴定。青瓷高岭土料胎色各异，如白胎（图 1-14）、橙色胎、黑胎、褐胎、黄胎、灰胎等，纯色对应的多是精致瓷器。随着色彩的渐变，所对应的胎体色彩也在向衍生色演变。但总的来看，青瓷高岭土胎主要是以青、灰等色为基调，橙、黑、褐等色彩比较少见。

（2）从时代上鉴定。中国古代青瓷使用高岭土料贯穿于整个青瓷史（图 1-15），时代特征明晰。东汉六朝至唐代，高岭土质量普遍较高；唐宋时期，地域特征逐渐消失，高岭土质量趋于稳定；金元时期，高岭土质量略有下降；明清时期，高岭土质量也略有下降，但十分稳定。

（3）从窑口上鉴定。中国古代青瓷高岭土胎在窑口上特征比较明确，以优质高岭土料为主，黏土胎有一定的量，但不占主流地位。鉴定时要注意分辨。

图1-14 白胎青瓷标本·宋代

图1-15 龙泉窑青瓷标本·明代

二、黏土料

背景信息：青瓷黏土料常见（图1-16），常是一些掺合料，如夹砂料、夹云母料、夹蚌料等，随意掺合，纯正的细泥胎不多见。

鉴定要点：

（1）从胎色上鉴定。青瓷胎色有局限性，以橙色、黄褐、土黄、灰黄等色为多见（图1-17），纯正者少见。

（2）从时代上鉴定。青瓷黏土胎贯穿于青瓷史始终，各个历史时期都有见。早期青瓷在黏土料上不是很稳定；唐宋时期稳定性好一些；元代在质量上有所下降；明清青瓷黏土胎数量越来越少（图1-18）。

（3）从窑口上鉴定。林立的窑口中多数窑口产品有见黏土胎的青瓷，如著名的越窑、婺州窑、瓯窑、洪州窑、龙泉窑、耀州窑等都是这样，只有极少数的窑口在胎体上不见黏土胎。

（4）从精致程度上鉴定。通常情况下精致青瓷黏土胎的情况很少见，普通青瓷也很少见，以粗糙瓷器为显著特征（图1-19）。

图 1-16 黏土胎青瓷标本·元代

图 1-17　橙红色黏土胎青瓷标本·明代

图 1-18　黏土胎龙泉窑青瓷标本·明代

图 1-19　较粗黏土胎青瓷标本·明代

三、淘 洗

背景信息：青瓷淘洗是在选料之后的一道必需的工序，淘洗精炼贯穿于整个青瓷史始终（图1-20）。淘洗不精的情况有见，但不占主流。

鉴定要点：

（1）从胎色上鉴定。青瓷淘洗与胎色关系密切，但较为复杂。精致瓷器胎色较为多样化，如青灰、灰白（图1-21）、洁白等都有可能是精致者；普通和粗糙瓷器在淘洗上表现为，淘洗精炼程度随着色彩纯度的降低而下降。

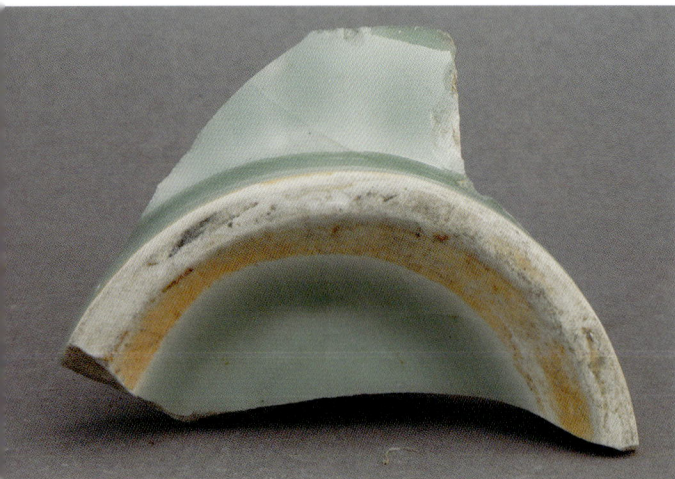

图1-20 淘洗精炼的龙泉窑粉青釉青瓷标本·明代

图1-21 灰白较粗胎青瓷标本·元代

图1-22　淘洗精炼的耀州窑花卉纹青瓷标本·宋代

（2）从原料上鉴定。青瓷原料选择与淘洗的关系密切，精致瓷器所选择原料精良，其相对应的淘洗也多精炼；而普通和粗糙的瓷器则逐渐次之。

（3）从时代上鉴定。青瓷淘洗精炼程度具有鲜明的时代特征（图1-22），虽然同一时代的青瓷在淘洗上区别较大，但相比较而言，以唐宋时期青瓷胎体淘洗较为精炼。

（4）从窑口上鉴定。青瓷淘洗精炼与普通并存，这与青瓷窑场如越窑、龙泉窑、耀州窑等都是民窑有关，讲究成本（图1-23），不能像汝窑那样将青瓷胎体淘洗得一尘不染。

（5）从精致程度上鉴定。淘洗与青瓷的精致程度关系并不密切，可以说精致、普通、粗糙者都有见。

图1-23 淘洗较粗的青瓷标本·元代

四、胎　色

青瓷在胎色上特征鲜明，青灰、浅灰、香灰、灰黄、灰白、黄色胎、灰黄色、黄白、砖红、浅褐、红褐、灰黑、褐红色、土黄等色都有见（图1-24）。可见，青瓷在胎色上十分丰富，衍生色彩也十分丰富，中国古代青瓷有向多元化发展的趋势。

中国古代青瓷在相近性色彩上十分常见，如灰色、浅灰；灰色—青灰；浅红—浅砖红等，可见这些色彩主要集中在青灰色基调之上，橙、红等色有见（图1-25），但数量比较少。

中国古代青瓷有许多胎色处于不同的色彩阶段，差异性比较大，如灰白（图1-26）、浅红，黄胎、灰胎，褐胎、灰黄等色彩就是这样。之所以形成这么多色彩差异，其原因有很多，如地域、时代、窑口、原料等，都会影响到胎体色彩，如橙、红等色调的胎色多数与黏土或掺合料有关。

1. 青灰胎

背景信息：青灰胎的青瓷常见，从东汉晚期就较为流行，直至宋元时期，墓葬和遗址基本都有出土，总量规模巨大。

鉴定要点：

（1）从胎色上鉴定。青灰胎是一种复色，青色与灰色的交融形成了新的色彩，较为纯正（图1-27），稳定性较强。

（2）从造型上鉴定。青瓷青灰胎的特征与造型的关系不明显，几乎所有的器物造型，如碗、罐、钵、炉等都有见。

（3）从时代上鉴定。青灰胎的青瓷从东汉晚期直至明清都有见（图1-28），没有过于规律性的特征。

图1-25　橙红胎青瓷标本·宋代

图1-26　灰白胎青瓷横截面标本·宋代

图 1—24　龙泉窑洁白胎青瓷灯盏标本·明代

图 1—27　青灰釉青瓷标本·宋代

图 1—28　青灰釉青瓷标本·宋代

图 1-29 青灰釉青瓷标本·宋代

图 1-30 灰白胎青黄釉青瓷标本·明代

（4）从窑口上鉴定。青灰胎的青瓷如越窑、耀州窑、龙泉窑等各大窑口都有见，在数量上占据主流地位，鉴定时注意分辨。

（5）从精致程度上鉴定。青瓷青灰胎精致者有见（图 1-29），普通、粗糙者也有见，显然色彩不是判断标准。

2. 灰白胎

青瓷灰白胎是一种复合色彩，灰与白的融合，较稳定，偶见微小的偏色，但不影响其稳定性（图 1-30）。灰白胎具有鲜明的时代特征，唐宋时期多见精品，之后精品逐减，普通和精品瓷器表现基本相似。粗糙瓷器各个历史时期都比较少见。灰白胎的青瓷在窑口上没有过于固定化的特征，各大窑场都有可能出现灰白胎的现象。

图 1-31 胎体精细的耀州窑青瓷盏
标本·宋代

五、精细胎

中国古代青瓷精细胎者时常有见，其典型特征是，选料优良，淘洗精益求精，胎色青灰、均匀、细腻致密等。

从时代性上看，东汉晚期有见，但数量很少。六朝青瓷精细胎数量有所增加，如越窑青瓷当中就常见，但在婺州窑和瓯窑当中数量有限，原因很简单，毕竟民间窑场还是成本第一。隋唐五代时期精细胎有一定发展，但数量依然不占主流。宋代随着官窑和民窑概念的清晰，出现了一些窑口整体青瓷精细胎的情况（图 1-31），如官窑和汝窑显然就是这样，但对于传统青瓷来讲，只是在精细胎的数量上有所增加而已，其他没有太大的变化。元代精细胎在数量上急剧下降，明清时期略有改观。

精细胎青瓷在窑口特征上也没有过于明显的特征，在各大青瓷窑口和窑系中精细胎的青瓷都有见，但显然都占据不到主流地位。在色彩上精细胎的青瓷以纯正为显著特征，但真正色彩纯正的胎体很少见到。橙、黄、红、紫、砖红等非高岭土胎系列的胎色基本与精致瓷器无缘（图 1-32）。

从数量上看，中国古代青瓷精细胎者虽然各个时代都有一些，但其总量远低于同时期普通和粗糙的青瓷。在器物造型上也没有过于复杂的特征，青瓷碗、盘、壶、盒、瓶等各种器物造型都有见。但从影响上看，中国古代青瓷精细胎影响十分深远，直接促使了官汝窑真正意义上精细胎体的产生。

图 1-32 胎体略带橙红色的青瓷
标本·元代

图 1-34　洁白胎青瓷碟标本·清代

六、略粗胎

介于细胎和真正粗胎之间的略粗胎在青瓷上有见。这类胎体有明显的缺陷，有明显的偏色、疏松、气孔等情况，多局部分散存在（图 1-33）。

略粗胎在各个历史时期都有见。东汉六朝时期是主流；隋唐五代时期同样是以略粗胎为显著特征；宋元时期青瓷略粗胎依然是主流，只是在数量上有所减少；明清时期略粗胎的青瓷失去主流地位（图 1-34）。

在精致程度上，略粗胎青瓷以普通瓷器为主，偶见精致青瓷为略粗胎的现象，很少一部分是粗瓷。

七、粗 胎

青瓷粗胎者有见，胎体内有杂质、偏色、串色、疏松、气孔等特征的存在，与略粗胎不同的是，这些特征较为集中地集合在一起，在胎体上分布比较广（图 1-35）。

图 1-33　略粗胎青瓷标本·明代

图 1-35　粗胎青瓷标本·明代

从时代特征上看，粗胎的青瓷在不同时代都有见，只是在数量上有差别。东汉六朝粗胎数量很少；隋唐五代同样是这样；宋代粗胎的青瓷基本上也是这样；元代粗胎青瓷在数量上明显增加，可以说比其他时代都要多，但并不占主流；明清时期粗胎的瓷器有了一定减少。

粗胎的青瓷各个窑口都有见（图1-36），如越窑、婺州窑、洪州窑、龙泉窑、耀州窑，包括景德镇窑等都有见，但这些粗胎的青瓷在比例上不占优势。

粗胎青瓷与精致瓷器的关系不是很密切，与精致瓷器无缘，普通青瓷中偶有见，注意以粗瓷为显著特征。

八、夹砂胎

中国古代青瓷胎体夹砂的情况有见，可以明显地观测到沙砾（图1-37），可以分为轻微和严重夹砂两种情况。显然，中国青瓷胎体并不避讳胎体夹砂的存在。

从胎色上看，纯正的胎色很少见到有夹砂的情况，随着色彩纯正程度的降低，夹砂胎体存在可能逐渐增大。沙砾的颜色基本上以黄褐色、灰白、灰色等色为主。

从轻微与严重上看，只要视觉能够观测到的属于轻微夹砂，主要以灰白色的胎体上常见；能够观测到明显的沙砾，即为严重夹砂的情况。轻微夹砂贯穿于青瓷始终，严重夹砂胎不同的历史时期也都有见（图1-38），只是在数量上有一定差别，与整个中国古代青瓷总量相比犹如沧海一粟，所占比例很小。

青瓷夹砂胎与精致程度关系明确，多数为粗糙或极为粗糙的瓷器，少数为普通瓷器，与精致瓷基本无缘。鉴定时应注意分辨。

图1-36 粗胎青瓷标本·元代　　图1-37 夹砂胎青瓷标本·元代　　图1-38 夹砂胎青瓷标本·明代

图 1-39 略厚胎青瓷标本·明代

图 1-42 胎体较细的青瓷标本·宋代

九、略厚胎

青瓷略厚胎最为常见（图 1-39），具有一定厚度。从造型上看，几乎所有的器物造型都涉及，如碗、盘、碟等。各个时代都有略厚胎的青瓷存在，这一点在青瓷史上非常明确，但以唐五代时期最为流行，宋代与唐代相比略薄，元代胎体又增加了一些厚度，明清时期基本延续这种特征。

十、瓷化程度

青瓷的瓷化程度上普遍比较好。东汉晚期青瓷烧造温度比较高，从墓葬和遗址出土的器皿来看，青瓷的胎体完全被烧结，致密坚硬，叩之可发出金属声（图 1-40）。从时代上看，瓷化程度较高这一特征贯穿于整个青瓷史，这与其主要作为日常生活用器分不开。在精致程度上，精致、普通、粗糙的器皿都有见。

图 1-40 瓷化程度较高的青瓷标本·宋代

十一、气 孔

青瓷胎体有气孔者时常有见（图 1-41）。

从总量上看，有气孔的胎体并不占据优势。

从概念上看，气孔显然是一种缺陷，与选料、淘洗、做工等诸多工序都有直接关联。

从时代上看，理论上胎体都会出现气孔，只是明显程度问题，金元时期胎体气孔在数量上逐渐多起来，这与中国古代瓷器进入到了衰落期有关。

从严重程度上看，青瓷胎体有气孔的情况多数不太严重，也没有泛滥的迹象（图 1-42）。

从形状上看，青瓷胎体上的气孔在造型上多数呈现不规则状，小一点的如孔洞状，大一些的气孔形状比较具体，总之看起来比较自然，没有规律性的特征。

从精致程度上看，有气孔的青瓷胎体为精致瓷器的情况非常少见，主要在普通和粗糙的器皿上有见，特别是以粗瓷为显著特征。

图 1-41 有气孔的略粗胎青瓷标本·宋代

十二、杂 质

青瓷胎体有杂质的情况不可避免。

从概念上看，有轻微和严重之分。有少量视觉观察不到的杂质，我们称其为胎体匀净（图 1-43）；只要杂质能够被视觉感觉出来，显然已经是有了轻微杂质；如果能够看到非常明显的杂质，无疑是已经发生了严重杂质。从色彩上看，大多青瓷杂质色彩基本与胎色融为一体。

从时代上看，几乎每一个时代都有许多各种程度杂质存在的胎体。东汉六朝时期以轻微杂质为主，很少见到过于严重的杂质；隋唐五代时期有杂质的胎体在总量上增加了；宋代瓷器基本上延续了传统（图 1-44）；元代青瓷在胎体杂质上突然猛增；明清青瓷有杂质的胎体在数量上比元代要好。

从精致程度上看，精致的青瓷胎体杂质几乎很少见；普通瓷器可以看到星星点点的颗粒状杂质，有的像针孔一样，这类青瓷胎体从数量上占据到绝大多数；粗糙青瓷杂质的颗粒比较大，非常明显，分布密集，看起来粗糙不堪。鉴定时要注意分辨。

十三、艺术品特质

青瓷胎体选料考究，淘洗得异常精炼，胎质细腻、光滑、致密、坚硬，这一切都使得精致青瓷在胎体上无可挑剔。在这里青瓷已然不仅仅是实用器，而是一种艺术品（图 1-45）。但显然不是所有的青瓷在胎体上都达到了这种水准，只有少数的青瓷在胎体上达到了艺术品的特质，因为青瓷并不能做到不计成本的烧造。

图 1-43　胎体匀净的青瓷标本·宋代

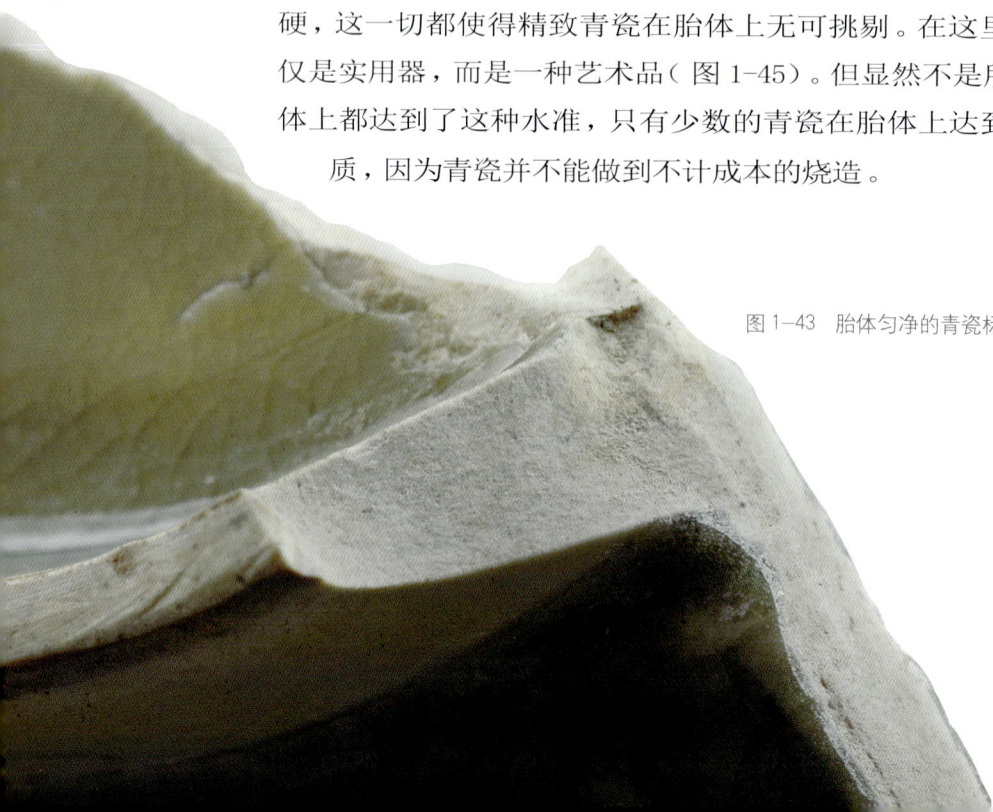

图 1-46 造型规整的青瓷盘·清代

十四、规 整

　　青瓷的规整程度比较好。青瓷自东汉晚期产生以来，在胎体的规整程度上基本保持了良好的状态，这与青瓷为日常生活中的实用器皿有关（图 1-46、图 1-47）。但由于青瓷的烧造时间很长，在漫长的发展历程当中有许多粗糙的瓷器出现，胎体不规整的现象有见，只要不影响到实用，这些变形的器皿同样会被用来销售，这种情况以元代为多见。从窑口上看较具均衡化特征。

　　从精致程度上看，胎体不规整的青瓷与精致青瓷无缘，多数为粗糙的青瓷，少量为普通瓷器。鉴定时应注意分辨。

图 1-44 胎体匀净的青瓷标本·宋代

图 1-45 "内外皆美"的青瓷标本·宋代

图 1-47 造型规整的青瓷碗·唐代

图1-48 胎体细腻的青瓷花卉纹标本·宋代

图1-49 胎体略显疏松的青瓷碗标本·明代

十五、细　腻

中国古代青瓷胎体细腻程度比较好。绝大多数青瓷胎体都是细腻的，只是细腻的程度不同（图1-48）。偶见有一些轻微杂质的情况，而有时候问题很严重，有大量的杂质出现，甚至是夹砂胎等。从时代上看，唐宋时期胎体细腻者常见；元代衰落，青瓷胎体粗糙化的程度加深；明清时期情况略有好转。

十六、疏　松

青瓷胎体疏松者有见。胎体疏松与细腻相对，如选料不精、淘洗不精、瓷化程度低等诸多原因，都会造成青瓷在胎体上的疏松程度（图1-49）。

从数量上看，墓葬和遗址内都有见，有一定的量，但是与整个中国古代青瓷总量相比可以说是沧海一粟。从精致程度上看，精致青瓷中很少能够见到胎体疏松者，普通青瓷偶有见，粗糙青瓷在胎体上疏松者最多，呈现出正比的关系（图1-50）。

从时代上看，各个时代都有见，只是在数量上略有区别。明清时期在胎体疏松程度上略有好转，但胎体疏松的情况在一些乡村级的民间小窑场时常有见。

图1-50 胎体略显疏松的青瓷标本·明代

第三节 完 残

一、完 好

完好无损的青瓷有见（图 1-51），墓葬和遗址中都有见，以墓葬出土为主。从保存环境上看，青瓷保存在墓葬当中，如果未受到扰乱，显然保存完整的可能性很大。但是如果经过扰乱或者盗墓，完整器皿几乎无一幸免。看来保存环境是青瓷残缺与完整的根本原因所在。鉴定时要注意分辨。

图 1-51　完好无损的花卉纹青瓷碗·宋代

二、残 缺

青瓷残缺的概念很容易理解，就是瓷器不完整，缺失掉了自身的一部分。中国古代青瓷的残缺可以分为轻微和严重残缺两种情况。青瓷轻微残缺多是指只缺失一部分，但这部分的缺失不会影响到其造型的辨识，如口磕和足磕等（图 1-52），总之轻微残缺的现象比较多。从时代上看，东汉六朝青瓷轻微残缺比例比较大；唐宋时期轻微残缺的情况从比例上看也比较大；元明清时期轻微残缺的比例比较大。青瓷严重残缺的情况看来比较严重（图 1-53），十件青瓷当中有八九件都是有严重残缺的。从数量上看，严重残缺的器皿几乎占到整个中国青瓷遗存的大部。

三、复 原

有口沿和底足的青瓷残件是可以复原的，青瓷复原的过程比较

图 1-52 有口磕的青瓷壶·东汉晚期

图 1-53 严重残缺的青瓷标本·宋代

图 1-54 有底有口沿的可复原青瓷标本·宋代

简单，一般需要借助模具来完成（图 1-54），通常都是用医用的打样膏，重复打模，就可以复原一件对称器物的造型，如青瓷碗等。从数量上看，需要复原的青瓷数量非常庞大。值得注意的是，在暴利的驱使下，一些青瓷残器经常被作伪者修复后，以次充好。由于器物的一部分是真的，所以较难辨识。

四、缺 失

青瓷器缺失的概念就是指残缺的青瓷，已经失去了口沿和底足。不可复原的青瓷数量众多，可以说大多青瓷器都无法找到复原的依据（图 1-55）。当然这些缺失的青瓷器，比如青瓷残片，一件器物碎掉之后，从理论上讲组成这件青瓷器皿的碎片是不会消失的，它们只是分离开了。

图 1-55 不可复原的青瓷标本·宋代

图 1-56 有裂缝的模印花卉纹青瓷盘·宋代

图 1-57 有裂缝的青瓷执壶·唐代

五、裂 缝

青瓷胎体有裂缝的情况不多见，只是偶有见，以博物馆的修复器皿为主（图 1-56）。这类青瓷的修复并不做掩饰；但古玩市场上销售的青瓷多经过上色、补釉等工序，掩盖了裂缝，看起来完好无损。

鉴定的方法主要有两种：一是听声音，完好的青瓷叩之可发出清脆悦耳的金属声，有裂缝者声音沉闷、沙哑（图 1-57）。二是做检测，通过仪器可以看到是否有裂缝，以及修复过的痕迹等，目前大学相关的实验室都可以做。

六、土 蚀

青瓷上有土蚀的情况常见，主要是指釉面形成难以剔除的土渍。一般是受到环境的影响所形成，没有任何规律可言，随时随地都有可能会出现（图 1-58）。从总量上看，青瓷有土蚀者不占主流。从地域上看，南方地区土壤环境潮湿，这加重了青瓷土蚀的程度；北方地区由于天气干燥，特别是河南、河北、山西等地，在青瓷保存环境上都比较好。从时代上看特征不是很明显，各个历史时期都有见。

图 1-58 土蚀较严重青瓷·元代

图1-59　有磕伤的青瓷执壶·唐代

图1-60　磕伤明显的青瓷壶·汉代

七、磕 伤

青瓷磕伤的情况很常见。从数量上看，由于青瓷是人们生活当中的日用器皿，所以磕伤的情况比较多见（图1-59）。从价值上看，磕伤对于青瓷的研究价值伤害不大，只是对于艺术价值会有一些影响，虽然美丽犹在，可毕竟是残缺的，对于其经济价值的影响则非常严重（图1-60）。"瓷器发毛分文不值"这句老话在今天虽然有的人认为可能有点过，但事实上的确影响很大，有磕伤的青瓷在拍卖市场上多是有价无市。

八、失 亮

失亮的青瓷有见。釉质不再是润泽，通透性尽失（图1-61）。从数量上来看，失亮的青瓷并不丰富，主要以遗址为比较多见。

青瓷釉质失亮主要有两种情况：一种是窑内失亮，另外一种是外力作用，只是部分失去光泽。这类失亮的青瓷由于不影响到实用的功能，所以也向外销售，这也是我们在遗址之上能够见到失亮青瓷的原因。第二种情况所指外力作用，主要是指受到腐蚀所致。从精致程度上看，失亮的青瓷与精致程度没有过于密切的联系。

图1-61　失亮的青瓷盏·宋代

图 1-63 豆青釉瓷盘·清代

第四节 釉 质

一、釉 色

1.青 釉

青色是青瓷当中最为普通的色彩，青色有很多种，如浅青、深青、青绿、青黄、青褐、豆青等都有见（图 1-62）。

从时代上看，各个时代都有见，延续时间长达两千年之久。

从光泽上看，多数青瓷以光亮为主，柔和、淡雅、油性光泽浓郁。

从精致程度上看，可以说精致、普通、粗糙者都有见。

2.豆青釉

豆青釉顾名思义如豆青的颜色一般，属单色范畴（图 1-63），色彩也比较纯正，偏色的现象很少见。豆青釉的青瓷在时代特征上较为复杂，六朝至明清时期都有见；在数量上较具均衡性特征；在窑口特征上并不是很明显，各个时代的窑口中都有见，可见豆青釉的色彩较为普通（图 1-64）。

豆青釉的青瓷光泽以淡雅为主，多数通体闪烁着非金属的淡雅

图 1-62 耀州窑花卉纹青瓷标本·宋代

图 1-64 豆青釉青瓷碗·清代

图 1-66 青黄釉瓷器标本·元代

光泽。在精致程度上多数豆青釉的青瓷为精致或者是普通的青瓷，粗糙者很少见。但主要以普通青瓷为多见。

3. 青黄釉

青黄釉的青瓷时常有见，在总量上有一定的规模，但与整个青瓷相比在数量上还远占不到优势。青黄釉只是青瓷中的重要色调之一（图 1-65）。青黄釉的青瓷在色彩上显然属于复色的范畴，是青色和黄色的融合，视觉的盛宴，色彩独立性和稳定性都比较好。

青黄釉的青瓷在时代特征上较为清晰，也是各个时代都有见，宋元以降，直至明清。

从窑口上看，各个窑口都有见（图 1-66），宋元时期的各大窑场在青黄釉出现的频率上逐渐在降低。在光泽上亮度不如豆青釉，以淡雅为著称。在精致程度上精致、普通、粗糙者都有见，其中精致瓷器中最少见，普通瓷器次之，粗糙瓷器逐渐增多。

图 1-65 青黄釉瓷炉·宋代

4. 青灰釉

青灰釉的青瓷在墓葬和遗址中时常有见，是青瓷器中的一个重要的品种。在色彩上，青釉与灰釉以最完美的方式融合在了一起（图1-67），形成了比较纯正、偏色现象较少的青灰色釉，但判断的标准依然是视觉；在时代特征上，青灰釉不是很明显，各个时代都有见，呈现出的是较为均衡性的特征；在窑口上，青灰釉特征也不是很明显，各大窑口都有见；在光泽上，光亮度不是那么好，较为黯淡，表现出来的是淡雅、柔和之美（图1-68）；在精致程度上，精致、普通、粗糙的青瓷都有见，主要以普通青瓷为多见。

5. 粉青釉

粉青釉青瓷的产生与一个著名的窑口有关，这就是龙泉窑（图1-69）。南宋时期，龙泉窑奇迹般地烧造出了粉青釉瓷，其在色彩上属单色范畴，色彩十分稳定。

从时代上看，粉青釉烧成的确切年代应该是在南宋末期，元代也十分流行，明清时期基本上没有太大的改变。粉青釉在窑口上有着鲜明的特征，龙泉窑一枝独秀。

从光泽上看，粉青釉光泽比较光亮，在光线的照射下可以反射出耀眼的光芒，但不失雅致，油性光泽较强，通体闪烁着非金属的淡雅光泽（图1-70）。粉青釉与精致瓷器的关系密切，其所对应的是最为精致的瓷器。当然，普通甚至是粗糙的瓷器也有见。

图 1-67 青灰釉青瓷标本·宋元时期

图 1-68 龙泉窑青灰釉瓷器标本·宋代

图 1-69 粉青釉瓷标本·南宋晚期

6.青绿釉

青绿釉的青瓷在数量上比较丰富，在色彩上的概念属复色，青色与绿色以最完美的方式融合在一起，青翠欲滴（图 1-71）。

青绿釉在各个时代都有出现，但在数量上有些差别，明清时期数量明显减少，其他历史时期都较为繁盛。青绿釉的青瓷几乎涉及所有以青瓷烧造为主的窑场，如越窑、龙泉窑、耀州窑等诸多窑口和窑系。

在光泽上以光亮为主，通体闪烁着淡雅的光泽、润泽、柔和。

在精致程度上以普通青瓷为显著特征，粗糙瓷器也有见，这与青绿釉瓷器为日常生活中的实用器皿有关。

图 1-70 光泽淡雅的粉青釉瓷碗标本·南宋

图 1-71 青绿釉青瓷标本·元代

图 1-72　淡青釉花卉纹标本·宋代

图 1-73　淡青釉花形碟标本·宋代

7. 淡青釉

淡青釉的青瓷时常有见，数量不是太多，应该只是众多青釉色彩中的一种。淡青釉的瓷器概念十分清晰（图 1-72），这种色彩比较淡，且具有一定的稳定性，形成了一个固定的色彩。

淡青釉的青瓷在窑口上没有固定化的特征，各个窑口都有见，显然淡青釉极易与人们的心理达成共鸣。在光泽上特征十分明确，异常柔和、淡雅，通体闪烁着非金属的淡雅光泽，使人犹入幻境（图1-73）。在精致程度上，精致的青瓷中淡青釉有见，普通青瓷中占比例比较大，粗糙瓷器中不是很常见。

二、釉质特征

1. 开　片

开片是青瓷釉面上经常出现的一种窑内缺陷，有开片的青瓷常见，各种各样的开片贯穿于青瓷发展始终（图 1-74、图 1-75）。

从形状上看，青瓷开片多无规律，但可以分出长条状、大开片、小开片、稀疏开片、细碎开片、细小开片等形状。不同地域之间的青瓷在开片上有一定的区别，青瓷在开片的形状、程度等各个方面都有区别。

图 1-75 有开片的青瓷标本·宋代

图 1-74 有稀疏开片的青瓷标本·宋代

图 1-76 有明显开片的青瓷标本·元代

从时代上看，东汉六朝时期开片的情况比较严重，唐宋时期人们对于青瓷的开片进行了一些控制，如龙泉窑精致青瓷之上就基本不见开片。总的来看，开片较难控制，但它并不影响实用，所以青瓷并不避讳开片。这样，开片形状上也就随意性很强（图 1-76），大小不一，深浅不一。有开片的青瓷在窑口特征上看，从越窑到龙泉窑以及耀州窑，开片特征基本相似，各个窑口开片复杂，没有过于规律性的特征。青瓷开片在精致程度上不是很明确，精致、普通、粗糙者都有见。鉴定时应注意分辨。

2.厚　薄

青瓷釉质厚薄特征明显，可以分为几
个阶段：厚釉、较厚釉、较薄釉、薄釉。
宏观上看先从厚釉开始（图 1-77），中间
经历了曲折，最终发展到薄釉。

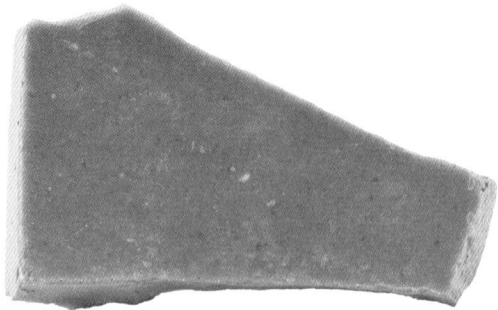

图 1-77　釉层较厚的青瓷标本·宋代

从时代上看，差异性很大，而且微观上
并不同于宏观那样简单，存在着倒置的情况。
如东汉六朝时期青瓷的釉质有一定的厚度，
但显然没有唐代厚，这与唐代人们崇尚厚釉有关；宋代是一个崇尚
薄釉的时代，又改变了唐代厚釉的习惯，在釉层上普遍向薄演变（图
1-78）；元明清时期的青瓷基本上釉层变得很薄了，而且比较稳定。

从窑口上看，青瓷窑口大多数是跨越几个时代，所以窑口在青
瓷釉质厚薄特征上较为复杂，随着时代变化而变化。鉴定时应注意
分辨。

3.均　匀

青瓷在釉层均匀上主要为两种形式，一是釉层均匀（图 1-79）；
二是釉层不均。从大量墓葬和遗址出土的青瓷来看，釉质均匀是其
显著特征。青瓷在釉层均匀程度上较为深刻，总量大，涉及器物造
型丰富，以局部均匀为显著特征。釉层不均的青瓷有见，但不占主
流地位，谈不上是一种缺陷。薄釉在釉层均匀程度上好一些，厚釉
则在窑内容易形成堆积。

从时代上看，东汉六朝、唐宋时期，青瓷在釉层均匀程度上比
较好（图 1-80），金元时期有所下降，明清时期这一现象得到遏制。

从窑口上看，各大窑口在均匀程度上相当。

图 1-78　釉层较薄的青瓷碟·宋代

图 1-79　釉层略有不均的六头鸟青瓷壶·汉代

图 1-81 足部有流釉的青瓷香炉·宋代

从精致程度上看，精致青瓷釉层多均匀；普通青瓷釉层以均匀为主；粗糙青瓷在均匀程度上表现出多样化的趋势，釉层不均者有所增加。

4. 流 釉

流釉是青瓷当中较为常见的缺陷（图 1-81）。从流釉程度上看，轻微流釉通常形成的流釉痕迹体积比较小，手摸突起感也不是很强烈。严重流釉现象在青瓷中时常有见，流釉痕迹较明显，有像蜡泪痕一样的痕迹。但这种流釉在数量上不占主流，只是在特定时期和窑口内，以及在粗瓷之上常见（图 1-82）。在流釉部位上，由于流釉是一个自上而下流动的过程，所以多在器物近底足处形成流釉。其他的流釉特征也常见，如半釉处流釉，这种流釉多限制在唐五代时期，与唐初节釉的习俗有关。久而久之，施半釉成为唐五代时期许多瓷器上施釉特征的一个习惯。

从时代上看，青瓷流釉东汉六朝时期并不严重；唐宋时期流釉现象比较严重，从总量上看有一定的增加；金元时期基本上也是这样；明清时期的青瓷在流釉现象上逐渐弱化。青瓷流釉现象在窑口上特征较为明晰。各大窑口中精致瓷器较好，而普通和粗糙瓷器则表现的较差。

图 1-80 釉层均匀的青瓷执壶·唐代

图 1-82 有流釉的三支足青瓷炉·宋代

图 1-84 杂质控制比较好的青瓷
标本·宋代

5.杂 质

青瓷釉质上有杂质的情况常见。

从程度上看有严重、轻微之分。严重杂质可以看到杂质较为集中；轻微杂质多为星星点点的杂质。青瓷的色彩也阻碍了人们对于杂质的观测，所以一般看起来青瓷釉面杂质不太明显。

从时代上看，东汉六朝时期常见（图 1-83），严重杂质多见；唐宋时期杂质得到进一步的控制（图 1-84），以轻微杂质为主；元代青瓷下滑比较厉害；明清时期青瓷杂质控制得比元代要好。

从窑口上看，几乎所有的窑场在窑口特征上都是一致的，就是精致瓷器之上杂质控制得比较好，而普通和粗糙瓷器杂质往往控制得不是太好。

图 1-83 有杂质的青瓷壶·东汉六朝

6. 化妆土

化妆土是青瓷烧造必备的工序之一。施化妆土，如同妇女化妆之时在面部打的粉底一样，有利于胎釉结合，有效防止胎釉剥离现象的发生（图1-85）。

从精细程度上看，以薄为主，均匀、细腻、光滑。

从时代上看，早在六朝时期越窑青瓷之上就已经使用了化妆土技术，并达到了相当高水平，直至明清。无化妆土的青瓷也有见，以早期青瓷为主，胎釉剥离现象十分严重。

从窑口上看，几乎所有的窑口在施加化妆土特征上都是一致的，只是在化妆土的用料上有优劣之分（图1-86）。

从精致程度上看，通常情况下精致青瓷化妆土多精细，但随着精致程度的降低，化妆土的质量基本上没有太大的下降。这一点在鉴定时应注意分辨。

图1-86 白细化妆土青瓷标本·宋代

图1-85 胎釉有剥离的青黄釉瓷罐·六朝

图 1-88　稀薄釉青瓷花卉纹标本·宋代

7. 稀　薄

青瓷稀薄釉常见，在总量上有一定的规模。从通透性上看比较好，通常能够隐约看到胎体（图 1-87）。从时代上看，东汉六朝时期有见，数量很少；以唐宋时期青瓷为多见，当然从总量上看还占据不到优势地位（图 1-88）；元代基本上延续宋代；明清时期稀薄釉的数量继续增加。青瓷稀薄釉在窑口特征上并不明显，可以说每一个窑口当中都有稀薄釉的情况，并无过于规律性的特征。从精致程度上看，通常真正精致的青瓷釉层稀薄者罕见，而主要以普通和粗糙瓷器为显著特征。

图 1-87　稀薄釉青瓷盏·元代

8. 稠 密

青瓷釉质稠密的情况时常有见（图 1-89），从比例上看占到青
瓷釉质特征绝大部分。从厚釉上看，厚釉与釉质稠密从理论上看并
没有直接联系，从薄釉上看也是这样。从时代上看，釉质稠密的青
瓷在非鼎盛期的瓷器上为多，如东汉六朝，包括隋
唐五代。宋代青瓷在釉质稠密的程度上减弱（图
1-90），明清时期少见釉质稀薄者。在窑口
上特征鲜明，各大窑口都有见，从总量上
看占主流地位。从精致程度上看，精致、
普通、粗糙的青瓷都有见，没有过于规律
性的特征。

图 1-90 釉质稠密的青瓷盏·宋代

图 1-89 釉质稠密的青瓷瓶·辽代

图 1-91 略感厚重的六头鸟青瓷壶·汉代

图 1-92 手感细腻的玉璧足青瓷碗标本·唐代

9.手 感

青瓷在手感上差异比较大。从重量上看，精致青瓷给人的感觉往往是轻盈，普通青瓷给人的手感就会有些重（图 1-91），粗糙青瓷的手感会特别重，这主要与原料的选择有密切关联。青瓷玉质感强烈，以精致瓷器为主。从时代上看，手感润泽的青瓷在各个时代的精致瓷器上都有见，但相比较而言，以唐宋时期为主。从造型上看，一些特定造型的青瓷玉质感强烈，如玉璧足青瓷碗玉质感就相当强烈（图 1-92）。显然青瓷器皿的玉璧足不是随意而就的，而是想要模仿"似玉"的感觉，我们在鉴定时应注意分辨。

10. 通体施釉

通体施釉的青瓷器数量很少。从造型上看，如碗、盘、盒、壶、罐、枕等都有可能见到通体施釉的（图 1-93），但从实物观测上看的确不多，绝大多数是局部施釉的情况。从时代和窑口上看，都没有过于规律性的特征。通体施釉者以唐宋时期多见，元代比较少见，明清时期又有所恢复。从精致程度上看，通体施釉的青瓷以精致者居多，普通者少见。

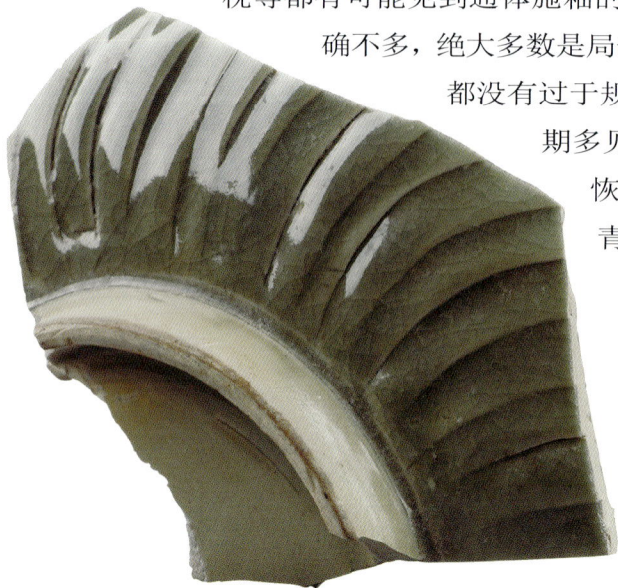

图 1-93 通体施釉的青瓷碟标本·宋代

图1-94　局部施釉的青瓷瓶·辽代

11. 局部施釉

　　青瓷局部施釉者有见，而且数量特别多（图1-94），为青瓷施釉方式的主流。如施釉不及底、施半釉、施釉仅至下腹部、除底外均施釉、施釉仅至近足处等。从时代上看，各个时代都有见，只是在数量上有不同特征而已。唐宋时期最少见，其次是明清时期，六朝以及金元时期较多见。从窑口上看，特征不是太明显，基本上各个窑口都很常见。从精致程度上看，局部施釉的青瓷所对应的主要应该是普通青瓷（图1-95），其次是粗糙青瓷，精致瓷器排在最后，鉴定时应注意分辨。

图1-95　较普通的局部施釉瓷罐·六朝

图 1-97 青瓷葵花碗·唐代

第五节 窑 口

一、越 窑

越窑也称为越州窑，因窑址在古越州境内而得名。越窑东汉为创烧时期，三国时期迅猛发展，西晋时期有了进一步发展达到鼎盛，东晋时期越窑青瓷实际上已经开始表现出衰落的迹象。入唐代后，与北方地区的邢窑形成了"南青北白"瓷业格局（图1-96），宋元以降，已不再有新意。鉴定时要注意分辨。

越窑是一个民间窑场，器物造型种类丰富，如碗、盏、盘、钟、钵、

图 1-96 越窑青瓷碗·唐代

图 1-98　色彩纯正的越窑青瓷
执壶·唐代

罐、盆、执壶、盒等都有见，六朝时期，越窑青瓷体
积明显变小，鸡头壶不见，执壶兴起。"许多碗盘变
成了荷叶状、葵花状等（图 1-97），可谓是造型多变，
异彩纷呈。对于造型的要求显然是精益求精，没有丝
毫的马虎，造型的弧线转折等处都处理得恰如其分，显
得相当雅致和高贵"（姚江波，2010）。由此可见，越窑青
瓷造型在随着时代的变化而改变，但在功能不变的情况下显然造型就不会改变。

　　在胎体上，越窑青瓷注重淘洗，精益求精，瓷化程度较高。一般碗、盘、
壶、罐等造型都是拉坯成型，多采用模制和捏制相结合的方法，将兽的头部及
各个部分做好之后，再将它们贴塑成器。三国时期越窑青瓷在胎体上通常还较厚，
之后逐渐变薄。"唐宋越窑青瓷在胎质上选料考究，淘洗精炼，胎质细腻，基
本上无杂质，瓷化程度相当高，胎体完全烧结，胎质致密，胎骨坚硬，质地有声，
胎体上有气孔的情况也不是很多，应该为偶见，胎体逐渐向薄演变，多为略薄胎，
胎色以灰褐黑等色为主，呈色稳定"（姚江波，2010）。宋元时期越窑青瓷在
胎体上创新越来越少，质量出现全面下滑。越窑青瓷开创时期极尽繁缛，铺首、
兽足、器耳、旋纹、水波纹齐上，在造型上异常繁缛，如在一些小罐上爬满了
各种动物，繁缛致极。西晋后期出现了点彩。南朝时期由于佛教盛行，还出现
了以莲花作装饰的器物（姚江波，2002）。由此可见，早期越窑青瓷在装饰手
法上异常繁缛，装饰手法多样，贴塑、堆塑捏制等都有见。但越窑青瓷从本质
上讲不是以装饰取胜，而是以隽永的造型和釉色取胜。越窑对釉质的不懈追求
反应在其模仿青翠山林之色。西晋时期烧制出了纯正的青色。唐宋时期"越窑
青瓷以釉质取胜的特征尤盛，多数瓷器釉色青翠、青绿，色彩纯正（图 1-98），
几乎没有偏色或者是色彩不匀的现象，唐宋时期越窑青瓷在色彩上与汝窑以模
仿天青等自然色彩还不同，主要是玉质感强烈，许多瓷器看起来都如玉般地莹润，
闪烁着非金属黯淡的油脂光泽，使人看起来犹如幻境，美不胜收。手感细腻滑润，
像触摸玉器的感觉一样"（姚江波，2010 年）。由此可见，越窑青瓷的确是以
釉质取胜，精美绝伦，美不胜收。

图1-99　耀州窑花卉纹青瓷注·宋代

二、耀州窑

耀州窑是中国北方地区最有影响的青瓷窑场。耀州窑的烧造时间较长，由唐直至明清。北宋年间达至鼎盛（图1-99），元代衰落。宋《老学庵笔记》《清波杂志》等文献都给予了耀州窑极高赞誉，但耀州窑在当时没有获得五大名窑的名号，这主要是因为耀州窑的产品定位是民窑，它是一个巨大的民窑体系。但耀州窑绝不是徒有虚名，而是实实在在地在工艺和技术创新上下工夫，在继承优良传统的基础上对青瓷进行了革新。实际上，耀州窑在唐代就开始烧造各种瓷器，如青瓷、白瓷、黑瓷等都有烧造，还烧造出了著名的唐三彩。由此可见，耀州窑在烧造技术上水平极高（图1-100）。

耀州窑在进入五代后，逐渐开始以青瓷为主打产品，获得了很大成功；北宋初期已经占据了北方地区大部分市场份额，成为了北方地区青瓷器烧造的第一大窑场；金元时期耀州窑青瓷继续大规模生产，明清时期亦有烧造。耀州窑瓷器在漫长的岁月长河中，影响极其深远。许多窑场都仿烧耀州窑瓷器，如河南临汝窑等从根本上看都属于耀州窑系统，最终形成了一个地域辽阔的耀州窑系。

图1-100
耀州窑花卉纹
青瓷碗·宋代

图 1-101　耀州窑青瓷罐·宋代

　　耀州窑青瓷以日常生活用品为主。如碗、盘、碟、瓶、盏、洗、钵、罐等都常见，几乎囊括了日常生活中的所有器皿（图 1-101）。市场需要什么就生产什么，而不是为宫廷烧造猎奇品。耀州窑青瓷通体扑面而来的显然是一种朴实无华之美。我们可以看到，耀州窑青瓷器造型多溜、多折、多弧，瓜棱、花形常见，几乎件件都是造型隽永之器（图 1-102）。从胎质上看，耀州窑瓷器十分重视胎体，选料、淘洗可谓都是精益求精，胎体致密，完全烧结，质地坚硬（图 1-103），几无变形器。由此可见，其对于胎体的重视程度。

图 1-102　耀州窑青瓷标本·宋代　　　　　　　图 1-103　胎体完全烧结的耀州窑青瓷标本·宋代

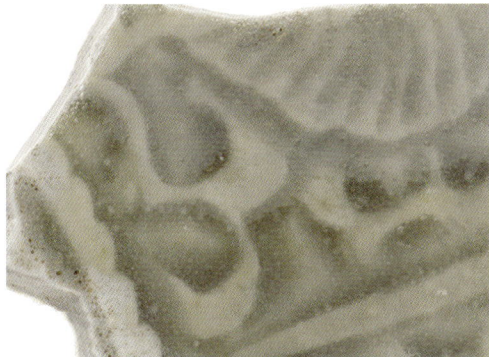

图 1-104 耀州窑纹饰繁缛的模印花卉青瓷标本·宋代

图 1-106 龙泉窑青瓷碗·宋代

图 1-105 耀州窑青瓷罐·宋代

耀州窑瓷器除了以造型取胜外，还十分注重纹饰，划花和刻花、印花艺术达到了相当高的水平，特别是印花纹饰相当繁缛（图 1-104），如盏、碗、盘等器皿的内壁通体布满了印花纹饰，精美绝伦。在纹饰题材上，耀州窑主要以牡丹、梅花、菊花、莲花等各种花卉为主，可谓亦真亦幻，美不胜收。耀州窑系地域十分广阔，河南、山西、陕西、广西、广东等地都有见。如临汝窑、新安窑、禹县窑、宝丰窑等都是耀州窑系中的佼佼者（图 1-105），由此可见耀州窑的影响极其深远。

三、龙泉窑

龙泉窑因在浙江省龙泉县境内而得名，是我国南方地区宋元时期烧造青瓷最为著名的窑场，是一个巨大的瓷窑体系（图 1-106）。龙泉窑于北宋创烧直至元明，南宋时期达到鼎盛，明代中后期走向衰落。龙泉窑是在越窑衰败之后南方地区兴起的又一个以烧造青瓷器为主的窑场。但龙泉窑并非是对越窑青瓷的继承，只不过是吸收和借鉴而已。南宋末期烧造出了著名的梅子青和粉青釉瓷器，将龙

图 1-107　龙泉窑青瓷香炉·宋代

泉窑的成功推向巅峰。龙泉窑瓷器造型丰富，常见的有碗、盘、碟、枕、盆、钵、壶、罐、瓶、水注、棋子、琮、炉（图 1-107）等。另外，龙泉窑还生产了一些觚、爵等仿古瓷。由此可见，其显然是一个巨大的民窑，老百姓需要什么样的产品就生产什么，迎合人们的各种需求。从胎体上看，龙泉窑胎体多为灰白胎，细腻、致密、坚硬，可见实用是其最主流的特征之一。从纹饰上看，龙泉窑将刻划纹发挥到了极致，题材丰富，以团花、牡丹、莲花、波浪、蕉叶等为显著特征，线条流畅、有力，构图繁密，纹饰层次分明，构图合理。龙泉窑瓷器的釉质特征继承了南方青瓷的莹润和灵气，以及越窑以釉质取胜的传统，在烧造上依然是以釉质取胜，这一点很明确。其主要特点是对于釉质进行了革新，终于在南宋末期烧造出了梅子青和粉青釉（图 1-108），通透感强，光泽度高，达到了其釉质烧造的巅峰状态。

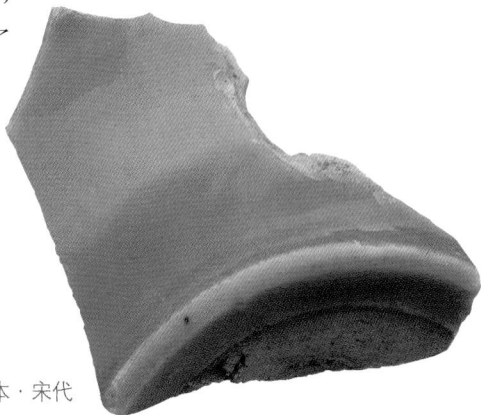

图 1-108　粉青釉青瓷标本·宋代

图 1-109 喇叭口青瓷唾壶·唐代

第六节 造型

一、口部

（1）从种类上鉴定。青瓷常见的口部造型主要有敞口、侈口、敛口、花口、直口、子母口、大口、小口、撇口、盘口、喇叭口（图1-109）、不规则口等。从比例上看主要以敞口、敛口、侈口等为显著特征；其他口部造型，如花口、子母口、小口、喇叭口等相对比较少见。从厚薄上看，主要以薄为主。鉴定时应注意体会。

（2）从形制上鉴定。青瓷口部形制特征不是很复杂，一切都显得比较直观，如敞口、敛口、大口（图1-110）、小口等都比较直观，模糊不定的情况很少见。

图 1-110 大口青瓷碗·宋代

图 1-111 实用与装饰相结合的小口青瓷执壶·唐代

（3）从功能上鉴定。青瓷口部造型功能特征上比较简单，主要是以实用为主（图1-111），兼具有装饰的功能。

（4）从器形上鉴定。青瓷口部造型在器物造型的选择上比较丰富，常见造型主要有碗、盘、碟、水注、钵、瓶、罐、盆等（图1-112）。不同的口部造型侧重点不同，如敞口主要在碗、钵、盘等器皿之上使用，其中以青瓷碗最常见；小口主要以瓶、壶等器皿上多见；子母口造型主要以盒等为多见。总之，青瓷在口部造型上涉及众多造型，鉴定时应注意分辨。

图 1-112
早期盘口
青瓷壶·东汉

二、唇 部

（1）从种类上鉴定。中国古代青瓷常见的
唇部造型主要有圆唇、方唇、尖唇、尖圆唇、卷唇、
折唇、平唇、厚唇（图 1-113）等。从比例上看，主
要以尖圆唇为主，其他的造型都非常有限。看来，

图 1-114　尖圆唇青瓷碗·宋代

中国古代青瓷在唇部造型上主要固定化到了尖圆唇之上。从厚薄上
看，真正的厚唇不多见，主要以较薄的唇部为显著特征。

（2）从形制上鉴定。青瓷唇部形制特征不是很复杂，一切都显
得比较直观。如圆唇就是看起来比较圆的造型；尖圆唇就是尖唇与
圆唇的结合（图 1-114），尖唇挺拔，圆唇浑厚，挺拔与浑厚完美地
结合在一起。总之，中国古代青瓷在唇部形制上相当成熟，以视觉
为判断标准。

图 1-113　厚唇青瓷炉·宋代

（3）从器形上鉴定。中国古代青瓷在器物造型上涉及较多，常见的主要有碗、盘、碟、盆等（图1-115），只是侧重点不同而已。如圆唇主要是在碗、钵、盘等器皿之上出现，其中以青瓷碗最常见。这一点很好理解，因为碗在总量上最为庞大。卷唇以瓷壶、盆等为常见。总之，青瓷在唇部造型上涉及众多。

（4）从功能上鉴定。青瓷不同唇部特征在功能上比较简单，主要以实用为显著特征（图1-116），兼具有装饰性的功能。鉴定时应注意分辨。

图1-115 圆唇青瓷标罐·宋代

图1-116 尖唇青瓷壶·汉代

图 1-117 平沿头鸟纹青瓷壶·汉代

三、沿 部

（1）从种类上鉴定。青瓷沿部种类十分丰富，如平沿、折沿、敞沿、卷沿、敛沿、厚沿、花口沿、薄沿等都有见（图 1-117）。这些造型在数量上极不平衡，折沿的造型相对花口沿可能就是比较常见。但总体来看，青瓷沿部造型没有过于固定化的特征。从时代上看，不同时代的青瓷在沿部造型上有一定区别，如花口沿在鼎盛期的唐宋时代就较为多见，而其他时代里显然不是很常见。在衍生性上青瓷沿部衍生性较强，如折沿可以衍生出微折沿、平折沿、折沿微卷、折沿下垂、折沿近平、宽折沿、窄折沿（图 1-118）等，可见青瓷器在沿部的衍生性造型上十分丰富。正是这些衍生性造型和基本造型组成了中国古代青瓷巍巍壮观的造型群。鉴定时应注意分辨。

（2）从形制上鉴定。青瓷沿部形制特征以简洁为主，如花口的造型，比较直观，犹如花瓣一般；撇沿的造型一般情况下都有很明显的外撇过程（图 1-119），总之完全是一场视觉盛宴，判断的标准

图 1-118 平折沿青瓷罐·宋代

图 1-119 外撇沿青瓷壶·六朝

图 1-120 外撇沿青瓷炉·宋代

完全是视觉。在时代和窑口上没有过于复杂性的特征，我们在鉴定时应注意分辨。

（3）从器形上鉴定。中国古代青瓷沿部造型对于器形选择比较多（图 1-120），如碗、盘、钵、瓶、盘、注等不同的器物造型在选择沿部特征时侧重点不同。如香炉、盆等多选择的是平沿甚至是平折沿的造型，而很少会选择其他的沿部造型。总之，青瓷在器形上选择较为频繁，但并不复杂，都很直观。这是其显著特点。

（4）从功能上鉴定。中国古代青瓷在沿部造型上功能十分清晰，主要以实用为主，是为了满足青瓷在日常生活当中所担负的各种功能而设计的（图 1-121）。如青瓷盆要去煲汤，必须是宽平折沿的造型，这样才不会把人们的手烫伤。但是，在这一过程当中，青瓷显然是兼具了装饰的功能，如将青瓷盆上平折沿设计得相当规整，造型使其具有隽永性。总之，中国古代青瓷实用与装饰性结合得还是比较紧密，鉴定时应注意分辨。

图 1-121 宽沿外撇青瓷盘·宋代

四、腹 部

（1）从种类上鉴定。青瓷腹部种类繁多，常见的主要有鼓腹、折腹、弧腹、浅腹、深腹、敞腹、瓜棱形腹、花形腹、直腹、不规则腹等。从数量上看，主要以鼓腹和弧腹为显著特征，其中鼓腹的造型占据绝对优势（图 1-122），其他腹部造型数量相对较少。如瓜棱形腹、花形腹等只是偶见。另外，中国古代青瓷腹部造型在衍生性上也比较丰富。以鼓腹为例，显然就可以衍生出近鼓腹、扁鼓腹、小鼓腹、大鼓腹、弧鼓腹、瓜棱鼓腹、不同的花形鼓腹、各种不规则的鼓腹造型等的情况。其他的腹部造型也或多或少地可以衍生出一些造型，如弧腹的造型可以衍生出弧鼓腹、斜弧腹、浅弧腹、深弧腹等。由此可见，中国古代青瓷腹部特征在种类上的确是比较丰富的（图 1-123），鉴定时注意分辨。

（2）从形制上鉴定。青瓷腹部在形制上十分丰富。如微鼓腹就是腹部微微鼓起；折腹也很明显，就是腹部发生了折的现象。由此可见，造型较为简洁明快。但从形制上看，它们应为一个视觉意

图 1-122 鼓腹青瓷罐·宋代　　　　图 1-123 深腹青瓷瓶·金代

义上的概念，并非具有尺寸意义上的标准（图
1-124）。另外，青瓷腹部的造型还常见融合
的情况，不同的腹部造型融合在一起形成
新的稳定的造型。如鼓腹的造型显然
多数还伴随有弧腹、浅腹或者深腹等的
造型，不可能单独就能组成独立的腹部造型，这
一点我们在鉴定时应注意分辨。从时代和窑口上
看没有过于规律性的特征。

图 1-125 弧腹青瓷花卉纹碗标本·宋代

（3）从器形上鉴定。青瓷不同的腹部造型会选择相异的器物造
型，这一点是明确的，如碗常常会选择弧腹、鼓腹、斜腹等的造型
（图 1-125）；而盘则往往会选择坦腹、浅腹、弧腹、斜腹、微鼓腹
等的造型；碟基本相似，但如果是罐的造型，则往往选择鼓腹较深、
瓜棱形腹等造型。所以，器物造型会选择什么样的腹部造型其实能
够回旋的余地很小。总之，腹部与青瓷造型之间的关系是十分密切。
但从数量上看，多以弧腹和微微鼓为多见。其他的腹部造型处于次
要地位，鉴定时应注意分辨。

图 1-124 弧腹青瓷碗·宋代

图 1-126 瓜棱形腹青瓷罐·宋代

（4）从功能上鉴定。青瓷腹部在功能上特征明晰，青瓷在功能上显然主要是以实用为主，兼具有装饰的功能（图1-126）。如青瓷盘就是盛器；而盏就是茶具，专有功能的体系已经形成。但是在这一过程当中，青瓷十分注重实用与装饰功能的融合，如宋代的青瓷斗笠盏，斜腹呈现出45度角向外衍射，非常的漂亮，兼具实用与装饰的双重功能，鉴定时应注意分辨。

五、底 部

（1）从种类上鉴定。青瓷底部造型在种类特征上比较单一，以平底为主（图1-127），圜底为辅。平底在衍生性造型上比较丰富，如小平底、大平底、平底内凹、平底微凸、厚底、薄底等，圜底的衍生性不是强。由此可见，青瓷在底部造型上其实还是比较丰富，鉴定时要注意分辨。

图 1-127 平底青瓷双系壶 汉代

图 1-128　平底微凸青瓷碗·宋代

图 1-129　圈底青瓷香炉·宋代

（2）从形制上鉴定。青瓷底部在形制特征上总的来看简洁，主要是以衍生造型为显著特征。如大平底、小平底、平底微凸、平底微凹等造型（图 1-128），这些造型的判断主要是以视觉为标准。一般情况下青瓷底部造型都十分明确，典型的如"斗茶"用的斗笠盏，口部比较大，然后斜直腹一直下去至底，所以底部明显比较小，为典型的小平底的造型。其他的底部造型没有如此明显，但基本上都可以用视觉来判断，鉴定时应注意分辨。

（3）从器形上鉴定。青瓷底部在器物造型上可以说几乎涉及到所有的器形，如碟、坛、碗、盏、瓶、盆、罐、炉等都常见（图 1-129）。其显著特征是，不同器物造型往往会涉及到不同的平底衍生性造型，只不过是选择多与少的问题。如青瓷碗的底部基本都是平底，圈底的可能性几乎没有。对于大平底、小平底、平底内凹和微凸等的选择比较复杂，主要是根据造型来选择。从时代和窑口上看，中国古代青瓷在底部特征上没有过于规模性的特征，就不再赘述。

图 1-131 精美绝伦的平底
斗笠形青瓷盏·宋代

（4）从功能上鉴定。中国古代青瓷器皿底部造型在功能上十分明确，显然主要是为了实用的需要。因为本身青瓷就是人们日常生活当中最主要的用具（图 1-130），是人们每日吃饭、喝茶都要用的碗、盏等，所以在功能上也是比较朴实无华，实用性很强。但在实用的同时，青瓷将装饰引入到底部造型之上，利用造型集中凸显美，这种美的形成主要是利用造型本身的隽永性，以及底部与口部、腹部等不同部位的映照来进行。如小平底的盏迎合了大口斜腹的造型（图 1-131），使整个青瓷盏亭亭玉立，美不胜收。总之，整个中国古代青瓷在装饰性的效果上还是比较强的，鉴定时要注意分辨。

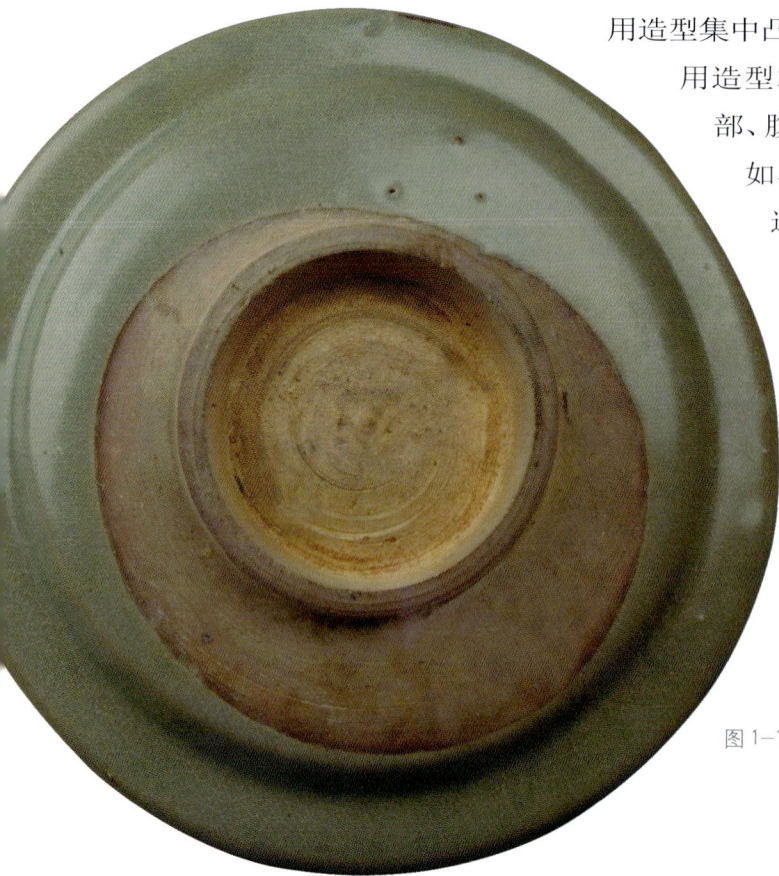

图 1-130 平底较大的龙泉窑青瓷盘·宋代

六、足 部

（1）从种类上鉴定。青瓷足部造型多以圈足、饼足、花座足、脊背形足、尖状足、乳足、山字形足、兽足、卧足、小饼足、玉璧足等为常见（图1-132），可见是比较繁多，但这显然还不是造型的全部。青瓷足部有着较强的衍生性，如圈足造型之中就可以包含暗圈足、薄圈足、多边形圈足、方圈足、敛圈足、小圈足、斜直圈足、窄圈足、瓜棱状圈足、环状圈足、假圈足、宽圈足等（图1-133），可见其衍生性造型之丰。其他的足部造型很多也都可以衍生出一些足部造型，正是这些衍生性和基本的足部造型共同组成了巍巍壮观的足部造型群，鉴定时应注意分辨。

（2）从数量上鉴定。青瓷以圈足种类最多，但在数量上极不平衡，呈现出圈足造型独大的特点。圈足及其衍生性造型占到器物总保有量的90%以上（图1-134），而饼足、花座足、脊背形足、尖状足、乳足、兽足、蹄形足、玉璧足等造型只能占到10%左右。由此可见，青瓷在足部造型上基本固定化到了圈足之上。

图1-132 高足青瓷灯盏标本·明代

图1-133 圈足青瓷瓶·辽代

图1-134 圈足青瓷盒·唐代

（3）从形制上鉴定。中国古代青瓷足部形制特征比较明晰，多以视觉为判断标准。如饼足看起来就是圆形的，像烧饼一样的足部造型，玉璧足更为明显，就是犹如玉璧造型的足部。而且玉璧的造型比较规整，符合汉儒们文献所属的"好倍大于肉"的标准（图1-135）。由此可见，中国古代青瓷在足部形制上实际上是受到主流学派思想的影响，鉴定时应注意分辨。总之，中国古代青瓷在足部造型上简洁明快。

图1-135　玉璧足青瓷标本·唐代

（4）从器形上鉴定。中国古代青瓷不同的足部造型会选择相应的器形。如圈足的造型所选择的器形比较广（图1-136），碗、盘、碟、罐等都有可能选择；但饼足的造型选择很有限，如在碟等造型上就很少见。在时代上特征也很明显，如玉璧足造型多在唐代有见，宋代偶见，但饼足多在唐及五代时期有见，其他时期不是很常见。这一点我们在鉴定时应注意分辨。

（5）从功能上鉴定。中国古代青瓷足部与功能的关系十分明确，以实用与装饰的结合为主。其实，如此众多的足部造型也说明了这个问题，如果不考虑到实用与装饰结合的问题，那么可能一种圈足的造型就足够了（图1-137），不需要设计如此众多的器物造型，这一点我们在鉴定时应注意分辨。但当实用功能与装饰性的功能发生冲突时，无疑中国古代青瓷选择的是实用，这一点显然与青瓷是实用器有着密切的关联。

图1-136　圈足青瓷罐·宋代

图1-137　小圈足青瓷盏·宋代

第七节　纹 饰

　　纵观青瓷史，虽然青瓷不是以纹饰取胜，但是纹饰是其发展过程当中不可或缺的点缀（图 1-138）。东汉六朝时期的青瓷之上就有一些简单的刻划纹，隋唐延续，宋代耀州窑开青瓷纹饰繁密之先河。但总的来看基本上是刻划纹为主，题材以花鸟虫鱼为多见，青瓷纹饰并没有发展成为后来犹如青花瓷上那样的复杂情节性纹饰。鉴定时应注意分辨。

图 1-138　青瓷刻划花标本·唐五代

图 1-139 青瓷缠枝花卉纹标本·宋代

一、题 材

青瓷纹饰在题材上较具复杂化特征。常见的纹饰题材主要有花卉纹、草叶纹、动物纹、弦纹、网格纹、网格纹带、菱形回纹等（图1-139），其中以弦纹最为多见。弦纹的形式多样，如一周弦纹、两周弦纹、三周弦纹、凹弦纹、凸弦纹等的情况都有见。可见，一种题材的纹饰在形式上并不是孤立或者是固定化的，而是衍生性非常强。再如草叶纹也可以衍生为刻画草叶纹、模印花草纹、树叶纹、蕉叶纹等。花卉纹常见的有牡丹纹、花果纹、菊花纹、芙蓉团花纹、梅花纹、缠枝菊花纹、缠枝花卉纹、折枝花卉纹、枝蔓花卉纹等。正是这些衍生性的纹饰题材和基本的纹饰题材使得青瓷在纹饰题材上囊括众多，几乎包含了人们所有的美好愿望，以及对美好生活的憧憬（图1-140），具有深刻的生活底蕴，鉴定时应注意分辨。

图 1-140 青瓷草叶纹标本·宋代

图 1-141 花卉纹青瓷标本·宋代

图 1-142 线条流畅的青瓷标本·宋代

二、构 图

青瓷纹饰在构图上特征明确，极为注重简洁性，寥寥几笔便可以勾画出一个生动的画面。如鱼纹，就是几条线，一朵浪花，就可以使人浮想联翩，留下"年年有余"的美好憧憬。青瓷纹饰讲究对称，但绝不是几何意义上的对称。纹饰有时看起来非常繁缛，但层次分明，没有丝毫的混乱感，总之在构图合理性上很强（图 1-141）。由此可见，青瓷对于纹饰的态度相当认真，可以说是一丝不苟，鉴定时应注意分辨。

三、线 条

青瓷纹饰十分注重线条的流畅性，线条基本上都是挥洒自如，刚劲有力。在耀州窑青瓷中，我们可以看到有些很粗糙的瓷器上的纹饰也是线条流畅（图 1-142）。当然，在线条上青瓷表现最好的时代显然是唐宋时期。从风格上看，青瓷线条风格挥洒自如、奔放，能够放得开，细腻与粗犷并存。有的纹饰较为细腻，如涓涓溪流缓缓流动；而有的纹饰则是粗犷奔放，犹如滔滔江河奔流直下。总之，纹饰线条自由自在，极具民窑气息。从线条刚劲有力上看，多数线条笔力苍劲，有相当的水准。看来，人们并没有因为青瓷是民窑产品而对其纹饰敷衍，同样是以认真的态度对待。鉴定是应注意分辨。

图1-143　印花青瓷标本·宋代

四、饰纹方法

中国古代青瓷在装饰纹饰方法上主要以刻花、划花、印花为主（图1-143），剔、浮雕等也有见，但比较少。从时代上看，具有鲜明的时代特征，刻划花的青瓷纹饰贯穿于青瓷史的全过程。印花以宋元时期的耀州窑为显著特征，明清时期也有见。很多器物之上是各种饰纹方法并举（图1-144），相互组合共同成纹，这一点我们在鉴定时应注意分辨。

五、饰纹部位

中国古代青瓷在饰纹部位上呈现出多元化的特征，各个部位都有饰纹的现象，这一点很明确。但特点是，不同的器物造型常常选择的装饰纹饰部位不同（图1-145）。如枕多选择装饰在枕面的部位，而盏多选择装饰器物内壁。从通体饰纹上看，青瓷这种情况不是很常见，主要是以造型为主要特征，如束腰枕一般装饰纹基本上都是通体饰纹；但从整体上看主要以局部饰纹为显著特征。从理论上说，应该所有的青瓷之上都有局部饰纹的可能，不过是纹饰出现的频率不同而已，鉴定时要注意分辨。

图1-144 剔花青瓷碟标本·宋代　　　　　　图1-145　内壁饰纹耀州窑青瓷标本·宋代

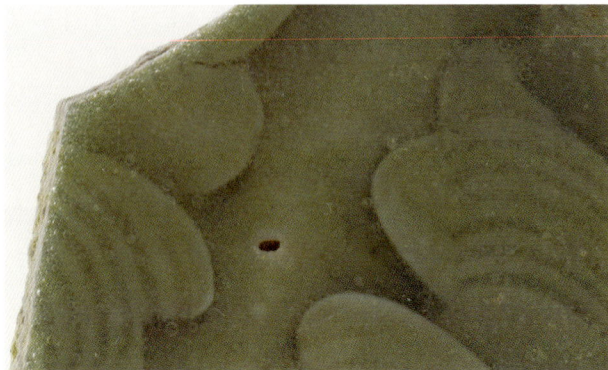

第二章 钧釉青瓷

第一节 综 述

　　钧瓷是中国古代最主要的日用瓷之一（图2-1），流行于宋元时期，明清两代亦是有见，墓葬和遗址内都有见，出土数量众多，在一些古城址内出土成千上万。钧瓷品相好者有见，以墓葬出土为主，依然保持着当初的模样，精美绝伦。但从数量上看，钧窑瓷器更多的可以说是残缺的器皿，多数钧瓷在经历了漫长的岁月之后已是遍体鳞伤、残缺不全，这就是钧瓷在品相上的现状。因此，钧瓷

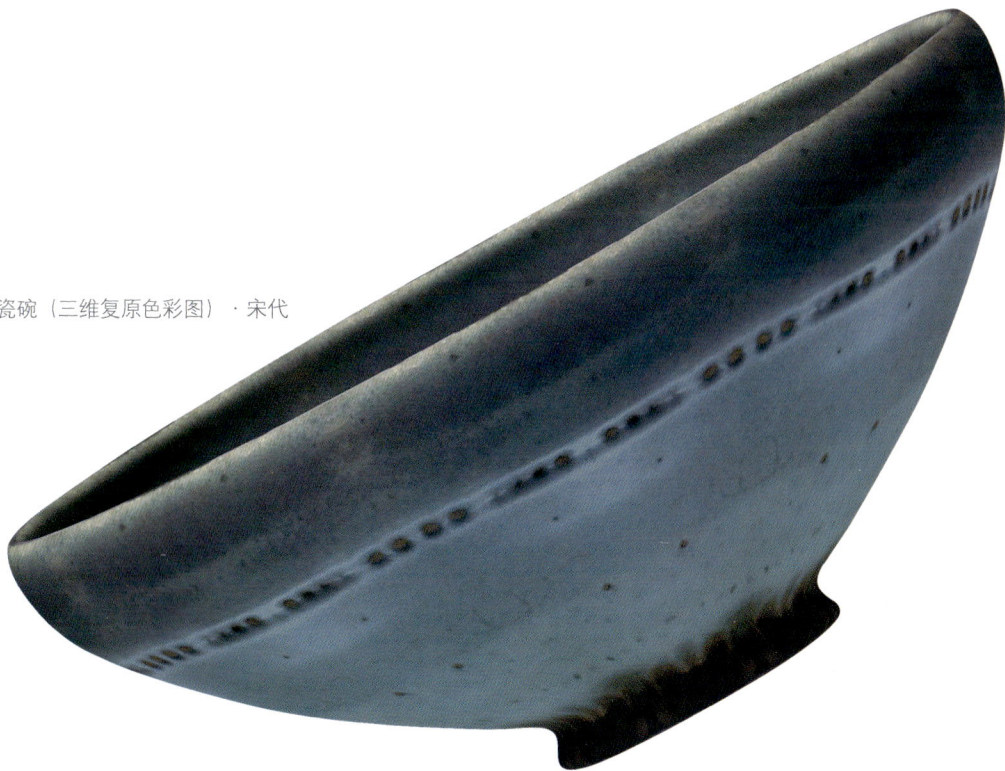

图 2-1　天青釉钧瓷碗（三维复原色彩图）·宋代

图 2-2 钧瓷片状标本·宋代

在收藏上主要应该是以精致的完整瓷器为主。但显然无论什么样的钧瓷都具有较高的价值，"纵有家财万贯，不如家有钧瓷一片"的说法在今天仍有意义（图 2-2）。特别在"盛世收藏"的今日社会，即使片状的钧瓷也具有相当的保值和升值功能。钧瓷在窑口上特征鲜明。钧台窑经过发掘，被人们公认为是为宋代宫廷烧造过瓷器的窑场，其产品造型隽永，沉静典雅，烧造不计工本，做工精绝，精益求精，达到了相当高的艺术水平。钧窑主要以禹县为中心向周边扩散，发展的速度非常快，影响十分巨大，最终形成了一个庞大的钧瓷系。在河南临汝窑、郏县窑、宝丰窑、新安窑、宜阳窑等处，包括内蒙古包头都大量有见仿烧的钧窑。从功能上看，钧瓷功能特征十分明确，为实用和艺术品完美的结合，真正使艺术品走向了民间（图 2-3），担任着辅助人们生活的多种功能。

图 2-3 钧窑瓷碗·宋代

图 2-5 高岭土胎钧瓷标本·宋代

第二节 胎 质

一、高岭土胎

宋元时期钧瓷高岭土的使用更是普遍，非高岭土料只是辅助。从胎色上看，钧瓷常见的胎色主要有灰白胎、黑胎、褐胎、灰胎、青灰胎、铁青等（图 2-4）。由此可见，钧瓷在胎色上较为繁杂，但主要以铁青和青灰等色为基调，橙色胎、土黄胎等基本不见高岭土胎。从精致程度上看，钧瓷胎色主要以色彩纯正程度为显著特征。在时代上，各个历史时期的钧瓷对于高岭土选料都十分认真（图 2-5），但相对选料较优的时代是宋代，以宫廷烧造的瓷器最为极尽心力；金元时期在高岭土的选料上有所下降；明清时期质量有所上升，也较为稳定。鉴定时应注意分辨。

图 2-4 高岭土灰胎钧瓷标本·宋代

图 2-6 黏土料土黄色胎体钧瓷标本·宋代

图 2-7 黏土料土黄色胎体钧瓷标本·宋代

二、黏土料

　　钧瓷胎体当中黏土料常见，墓葬和遗址中都有见，多以掺合料为主，如云母料和夹蚌料等都有见。从色彩上看，以橙色、黄褐、土黄、灰黄、红色、橙红等为主；纯色者少见（图 2-6）。从时代上看，鼎盛期的宋代黏土胎比较少见，金元时期逐渐增多。从窑口上看，宋元时期中国有数以千座的窑场在烧造钧瓷，这些窑场在黏土及掺合料的使用上相互之间有差别。禹县钧台窑为宫廷烧造的瓷器中很少见到黏土料的胎体，其他民窑产品并没有杜绝黏土胎的存在（图 2-7）。钧瓷黏土料与精致程度有一定的关联，精致的瓷器当中很少见有黏土胎，主要是以普通和粗糙的瓷器为多见。

图 2-8 胎体淘洗精炼的钧瓷标本·宋代

三、淘 洗

钧瓷淘洗较为精炼（图 2-8）。从胎色上看，
主要呈现出多元化发展的趋势，青褐、青灰、黑褐、黄褐、黄白、浅红、
深褐、香灰、灰白、洁白、黄白等色彩很好地诠释了这一鉴定要点。
当然，这些色彩当中偏色和串色越复杂，淘洗精炼程度就越差。从
原料上看，钧瓷原料选择与淘洗的关系密切，选料优良者通常淘洗
也精炼，反之则亦然（图 2-9）。从窑口上看，为宫廷烧造钧瓷的窑场，
如著名的钧台窑在淘洗上精炼程度比较高。淘洗与钧瓷的精致程度
有密切关系，可以说精致、普通、粗糙者都有见，鉴定时应注意分辨。

图 2-9 胎体淘洗精炼的钧瓷标本·宋代

四、胎 色

钧瓷在胎色上常见的主要有青灰、浅灰、深灰、灰黑、香灰、灰黄、铅灰、微红、黄色胎、黄白、浅砖红、浅红、褐色、浅褐色、红褐、紫红、褐红色、土黄色、灰白等，可见胎色种类十分丰富（图2-10）。但这些胎色并不是均衡存在的，而是侧重点很明确，基本上固定化到了青、灰、黑等色彩之上（图2-11），其他胎色为偶见。如青灰胎的钧瓷常见，时代贯穿于钧瓷始终，在总量上有一定的量。

从色彩上看，青灰胎是一种复色，青色与灰色完美地交融在一起，在呈色上相当稳定。青灰胎的钧瓷各个历史时期都有见，但以宋元为最常见，金元次之，明代数量最少，其窑口特征并不明显。青灰胎与精致程度的关系十分密切，青灰胎的瓷器精致者非常多见，但从数量上看应该还是以普通瓷器为多，粗糙瓷器当中很少见。其实，每一种胎色都有其特定的历史背景存在，过多例子就不再赘举。

从相近性上看，中国古代钧瓷的这些胎色相近性者常见，如深灰、浅灰，青灰、香灰、灰褐、灰黑，土黄、黄褐等，都是在色彩上比较相近，我们在鉴定时应注意分辨。当然，从色彩的差异上看，钧瓷在胎色上处于不同的色彩阶段，差异性比较大。如纯白和灰黑，橙色和香灰等（图2-12），这些胎色基本上是对立性的色彩，可见钧瓷在胎色上进行了广泛的借鉴和频繁的尝试，鉴定时应注意分辨。

图 2-10 青灰胎钧瓷标本·宋代

图 2-11 青黑胎钧瓷标本·宋代

图 2—12 橙色胎体钧瓷标本·宋代

图 2—13 精细胎钧瓷标本·宋代

五、精细胎

钧瓷精细胎常见，选料优良，淘洗精炼，致密、细腻。从时代上看，以宋瓷钧瓷最常见（图 2-13）；金代钧瓷在胎体精细化的程度上略有下降，这与其烧造态度的下降有关；元代钧瓷精细胎的数量进一步下降，精细胎体多为偶见。

从窑系性上看，精细胎主要以官、民窑为区分。如曾经为宋代宫廷烧造过钧瓷的河南禹县的钧台窑在精细胎上明显比较好，而民间窑场显然在精细胎数量上不是很多。

从胎色上看，主要以青、灰、黑等色为多（图 2-14），如香灰胎者多数为精细胎，但钧瓷当中真正达到香灰胎色者不多，鉴定时应注意分辨。

图 2—14 精细胎钧瓷标本·宋代

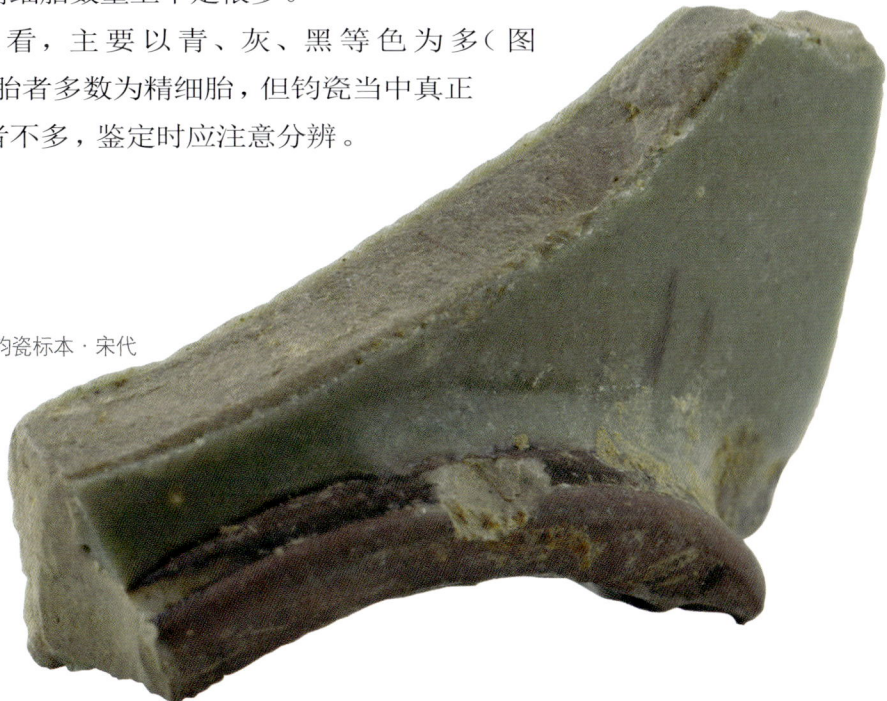

图 2-17 粗胎钧瓷标本·宋代

六、略粗胎

略粗胎者有见，在总量上有一定的量，是钧瓷胎体当中的重要一极。钧瓷略粗胎在时代特征上模糊，各个历史时期都有见（图 2-15），但从数量上看以金元时期为多见。从窑系上鉴定，钧瓷窑系以民窑场烧造为主，官窑性质的窑场少见。略粗胎的钧瓷与精制程度关系很明确，以普通和粗糙器皿为显著特征，精致瓷器之上很少见。

七、粗 胎

粗胎钧瓷有见，为一种严重的缺陷（图 2-16）。在时代特征上，各个时代都有见，主要是一些穷人会买，价格低廉。但北宋时期钧瓷粗胎的数量显然不占主流，而是处在角落里；南宋时期也是这样。从窑系上看，粗胎的钧瓷在窑口上表现不是太明显，各个窑口内都有烧造。在精致程度上，粗胎的钧瓷很少见，以普通和粗糙的瓷器为主，特别是以粗糙钧瓷为显著特征（图 2-17），不过数量并不多，因为本身粗糙钧瓷就很少见，鉴定时要注意分辨。

图 2-15 略粗胎钧瓷标本·宋代

图 2-16 粗胎钧瓷标本·宋代

八、夹砂胎

钧瓷胎体夹砂的情况有见。并不是每一座墓葬都会出土夹砂胎体的钧瓷，但夹砂胎的钧瓷在总量上有一定的量（图 2-18）。从色泽上看，钧瓷夹砂胎涉及到白、黄褐、灰白、黑褐等色彩。从轻微与严重程度上看，轻微者居多，严重夹砂的情况少见。从时代上看，没有过于明显的时代特征。从精致程度上看，夹砂胎中很少见到精致的瓷器，主要以普通和粗瓷为显著特征，鉴定时应注意分辨。

九、略厚胎

略厚胎的钧瓷比较稳定，是钧瓷胎体厚薄的主流。从造型上看，如碗、盘、碟、罐、花盆、洗、觚等各种造型都有见（图 2-19）。从时代上看，钧瓷略厚胎在时代特征上略有不同。如北宋比金代薄，比元代更薄。从精致程度上看，略厚胎的钧瓷精致、普通、粗糙的瓷器都有见。从窑口和时代上看也是这样。

2—18 夹砂胎钧瓷标本·宋代

2—19 略厚胎钧瓷标本·宋代

2-20 厚胎钧瓷标本·宋代

图 2-21 厚胎钧瓷标本·宋代

十、厚 胎

钧瓷中真正厚胎者有见，其胎体明显比略厚胎要厚许多（图 2-20）。从造型上看，碗、盘、洗、碟、罐、花盆、觚、壶、盏、托等各种造型都有见。从窑口上看，真正官窑性质的窑场当中很少见，以民窑为主。从时代上看，钧瓷厚胎有着鲜明的时代特征，宋、金、元等各个历史时期都有见。从精致程度上看，厚胎的精致钧瓷很少见，主要以普通、特别是粗糙的钧瓷为显著特征（图 2-21），鉴定时应注意分辨。

十一、瓷化程度

钧瓷瓷化程度特别高，几乎涉及所有的钧瓷造型（图 2-22）。从特点上看，温度高，胎体烧结程度好，致密、坚硬是其显著特点，叩之可发出金属声。只是偶见有胎体瓷化程度有问题的情况，我们在鉴定时应注意分辨。

十二、气 孔

钧瓷胎体有气孔者有见，墓葬和遗址中都有出土（图 2-23），从总量上看有一定的量。气孔的出现与胎体疏松、选料、淘洗、做工等诸多工序都有直接关系，任何一个工序处理不好都会出现气孔。从时代上看，宋代钧瓷胎体有气孔的情况不是很明显，多以金元时期为多见。从严重程度上看，钧瓷胎体气孔的严重程度通常较为轻微。从形状上看，多数犹如针孔状，星星点点，孔洞状的严重气孔很少见（图 2-24）。从精致程度上看，精致、普通、粗糙的瓷器中都有见，并没有过于规律性的特征。

图 2—22
瓷化程度较高的钧瓷碗标本·元代

图 2—23 有气孔的钧瓷标本·宋代

图 2—24 有气孔的钧瓷标本·宋代

十三、杂 质

钧窑胎体有杂质的情况较为常见。从概念上看，杂质的概念具有普遍性，而钧瓷之上显然也存在着轻微和严重杂质的情况（图2-25）。钧瓷杂质在色彩上的特点比较明确，多数和胎色融为一体，不是很明显，严重杂质的色彩明显一些。从时代上看，宋代钧瓷在杂质上相对来讲比较轻微（图2-26），为宫廷烧造的钧瓷在横截面上基本不见杂质；民用瓷在杂质上也不是很严重，严重杂质的情况很少见。金代钧瓷胎体在杂质上表现不是太好，严重杂质时常有见，但基本上还是延续了轻微杂质的特征。元代钧瓷胎体严重杂质的情况变得多起来。从精致程度上看，钧瓷精致者很少见到严重杂质的现象，杂质多在普通和粗糙瓷器之上存在，但并不对等。

十四、艺术品特质

钧瓷胎体在艺术品特质上特征鲜明。钧瓷虽多是民间窑场，但多数在胎体上却是选料考究、淘洗精炼、胎质细腻、致密、坚硬、厚薄均匀、色彩稳定，一切都似乎无可挑剔（图2-27）。但现实是，它是一个巨大的民窑系，显然是在制作一种大众化的艺术品，在胎体上向极限挑战。诸多窑场做不到的事情，钧瓷显然是做到了。钧瓷在胎体上精致化，实际上是在配合其犹如幻化般的釉色之美，追求"内外一致"之美。即胎体的精益求精和外表的精美绝伦的一致性，体现人的"内外一致"的精神内涵（图2-28）。当然这一艺术特征宋代表现最好，金元时期略有瑕疵，鉴定时应注意分辨。

图2-25
略有杂质的钧瓷标本·宋代

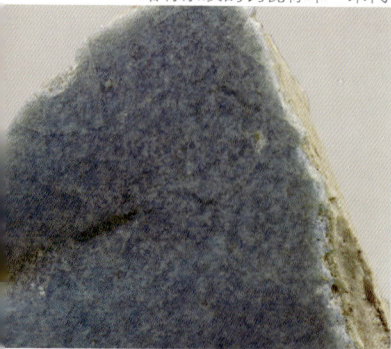

图2-26 杂质较轻微的钧瓷标本·宋代

图2-27
内外皆美的钧瓷标本·宋代

图 2-28 内外皆美的钧瓷标本·宋代

图 2-30 胎体细腻的钧瓷标本·宋代

十五、规 整

钧瓷在规整程度上普遍比较好，基本上没有胎体变形的现象（图 2-29）。其中，以宋代官窑性质的钧瓷为最好；金元时期略有下降，偶见有不规整的钧瓷，但数量极少，基本上可以忽略不计。从精致程度上看，胎体规整与精致程度关系密切，精致的瓷器几乎不见变形器，普通的瓷器中也很少见，而粗瓷中有见，鉴定时应注意分辨。

十六、细 腻

中国古代钧瓷在胎体细腻程度上表现良好（图 2-30），墓葬和遗址当中都有见。细腻为钧瓷胎体的主流特征。从时代上看，胎体细腻这一点贯穿于整个钧瓷史，其中以宋代表现最好，金元时期有所下降。从窑系上看，具有官窑性质的窑场细腻程度明显高，而民窑细腻程度在整体上略有降低，这一点我们在鉴定时应注意分辨。

图 2-29 造型规整的钧瓷碗·宋代

图 2-31 完好无损的钧瓷碟·宋代

第三节 完 残

一、完 好

完好无损的钧瓷在墓葬和遗址中都有见，但以墓葬出土为主（图 2-31）。从总量上看，钧瓷完好器皿非常罕见，完整器与残缺器的比例可能是 1：100（图 2-32），这主要与其保存环境恶劣，以及当时是实用器关系密切。

图 2-32 完好无损的钧瓷碗·元代

图 2-33 严重残缺的钧瓷标本·宋代

二、残 缺

古代瓷器部分缺失，无法找到的残件称为残缺，主要分为轻微和严重残缺两种情况。轻微残缺，多是一些口磕和足磕，有底有口沿，这样的器皿完全可以恢复全貌。从数量上看，钧瓷器有轻微残缺的情况，有一定的量，各个历史时期都有见。严重残缺的钧瓷较为多见，以城址为主（图 2-33），多已不能辩识造型，只剩下手掌心大的块，或只剩下了一个底足、或者是口沿、腹部的一块等，由于没有底足和口沿的联结，从而无法复原。从比例上看，残缺主要是以严重残缺为主。

三、复 原

中国古代钧瓷可复原者较为常见，但并不是所有的器物都可以科学复原。只有像碗一样有口部和底足的连接（图 2-34），这样的造型才能够科学复原。但值得注意的是，在暴利的驱使下，一些残缺的器皿经常被作伪者修复后，冒充完好无损的器皿牟利。由于一部分是真的，所以很难分辨，鉴定时应注意。

图 2-34 可复原的钧瓷标本·宋代

五、土 蚀

　　有土蚀的钧瓷时常有见，这些清洗不掉的土渍多是在潮湿的环境中形成的。由于出现具有偶见性（图 2-35），所以在任何部位都有可能会出现土蚀。从总量上看，钧瓷有土蚀者显然不占主流。从地域上看，土蚀的形成与地域有着密切的关联。通常情况下，中原地区是保存瓷器比较好的地方，如河南的中西部、山西南部、陕西东部等地土壤比较干燥（图 2-36），钧瓷有土蚀的情况不是很常见。但南方潮湿地区往往土蚀比较严重，如海南发现的钧瓷，由于环境潮湿，极易受到各种侵袭，土蚀多比较严重。

图 2-35　微有土蚀的钧瓷碗·宋代

图 2-37 有裂缝的钧瓷碗·宋代

图 2-36 局部有土蚀的钧瓷碗·元代

四、裂 缝

　　有裂缝的钧瓷有见，钧瓷胎体因经受不住巨大外力作用而产生裂缝。窑内缺陷形成裂缝的情况有见，但不是很多。主要是受到外力支离破碎的钧瓷被粘结修复而形成的裂缝。作为考古修复，这些裂缝一般都不做掩饰处理（图 2-37），所以我们从博物馆库房和展厅中可以看得很清晰。但是古玩市场上的商业修复多已经将裂缝修复好了，犹如完美无缺憾的器皿，在鉴定时应注意分辨。

　　目前鉴别主要两种方法：一是仪器检测；二是敲击听声音。通常情况下应使用仪器来看其是否经过修复，存在侥幸心理必然受到其害。听声音的方法很简单，就是有裂缝的钧瓷叩之不能发出清脆悦耳的金属声，而是听起来沉闷，嗡声作响（图2-38）。鉴定时应注意分辨。

图 2-38　有裂缝的钧瓷碗·元代

图2-40　口部有磕伤的钧瓷碗·宋代

六、磕　伤

钧瓷磕伤者的情况时常有见，磕伤的原因很简单，因为钧瓷是人们日常生活当中的用具，在实用的过程当中出现各种各样的磕碰都是很正常的。旧伤看起来伤口都已经钝化（图2-39），没有划手的感觉；新伤看起来比较明显，手有被划破的感觉。从磕碰的部位上看，口部、唇部、沿部、足部是其磕碰的重灾区。但没有固定化的规律性特征。另外，不同的器物造型经常受到磕碰的部位不同，如钧瓷觚由于在功能上主要是观赏用器，所以一般都放置于厅堂之上，口磕和腹部等磕碰痕迹发生的几率就会比较小，这一特征我们在鉴定时应注意分辨。对磕伤影响最大的无疑还是对其经济价值的影响，这种影响可以说是致命的。老磕可能影响不是太大，但是对于新的磕碰而言，价值会一落千丈，因为新茬是一种缺陷（图2-40），鉴定时我们应注意分辨。

图2-39　有磕伤的钧瓷碗·宋代

图 2-41　天青釉钧瓷标本·宋代

第四节　釉　质

一、釉　色

1.天青釉

天青釉是一种模仿天空中青色的乳光釉（图
2-41），为石灰碱釉的一种，即使在高温下流动性
也不是很好，通常情况下釉层比较厚。从数量上看，
天青釉钧瓷墓葬和遗址都有出土，由此可见，在总量上十分丰富。
天青釉时代特征十分明显，贯穿于钧瓷的始终，最鼎盛的时代是
在金元时期。在光泽上特征十分明确，釉质纯净，光泽淡雅，油
脂感强烈，多数通体闪烁着非金属的淡雅光泽（图 2-42）。与精
致程度的关系模糊，无论精致、普通、粗糙的瓷器之上都有见。
从窑场上看，有官窑性质的窑场所烧造的天青釉钧瓷在精致程度
上最好，民窑次之。

图 2-42　天青釉钧瓷标本·宋代

图2-43 青灰釉钧瓷标本·宋代

图2-44 青灰釉钧瓷标本·宋代

图2-45 淡青釉钧瓷标本·宋代

2. 青灰釉

钧瓷青灰釉是一种典型的复色釉,青色与灰色最完美地融合在一起,在色彩上相当稳定,显然已经成为一种独立的色彩(图2-43)。钧瓷青灰釉者时常有见,在总量上有一定的量。在时代特征上,宋、金、元等各个历史时期都有见。从绝对数量上看,金元时期为多见,宋代最少。在光泽上特征比较明显,淡雅、润泽,有玉质感,光泽稳定,沉静典雅,精美绝伦(图2-44)。在精致程度上,钧瓷青灰釉精致、普通、粗糙者都有见。鉴定时应注意分辨。

3. 淡青釉

钧瓷淡青釉各个历史时期都有见。一般的墓葬和遗址当中都有见,总量有一定的量(图2-45)。光泽较弱,淡雅、柔和,非金属的油性光泽很明显。精制、普通、粗糙的瓷器都有见,总量较大者为普通瓷器,精致和粗糙的钧瓷在数量上有限,鉴定时要注意分辨。

4. 梅子青

钧瓷梅子青釉是在模仿梅子色调,是宋代模仿色浪潮的产物。真正成熟意义上的梅子青釉

图2-46 梅子青釉钧瓷碗·宋代

直到南宋时期才在龙泉窑烧造成功。而钧瓷梅子青釉在色泽上自成体系，只是模仿其意，并不像龙泉窑梅子青釉那样的写实。钧瓷梅子青釉各个历史时期都有见（图2-46），在金元时期大规模地出现。梅子青釉在数量特征上很明确，明显有两极化的倾向：宋代较少，元代十分丰富。在光泽上多数通体闪烁着非金属的光泽，油性光泽浓郁，通常情况下光泽细腻、柔和。在精致程度上，精致瓷器很少见，宋代宫廷烧制的瓷器中很少见；以普通和粗糙的瓷器为显著特征（图2-47），特别是粗糙瓷器为最常见。鉴定时我们要注意分辨。

5. 青色泛蓝釉

钧瓷青色泛蓝釉时常有见。从稳定性上看，色调的变化，浓深、较浅、浅淡的层次依然存在，表现很不稳定，体现出了钧窑瓷器"入窑一色，出窑万彩"的壮美景观（图2-48）。在时代特征上，宋、金、元等钧瓷鼎盛时代都有见。青色泛蓝釉的钧瓷数量特征十分明确，从总量上看有一定的量。青色泛蓝釉的钧瓷光泽特征明显，青色较淡雅，蓝色较鲜亮，相互的融合使光泽对比更加具有韵味，深受人们喜欢，油性感较为强烈，明暗结合处渐变色彩也处理得非常好，沉静典雅，精美绝伦。与精致程度的关系十分明确，精致、普通、粗糙的瓷器都有见（图2-49）。鉴定时应注意分辨。

图 2-47 梅子青釉钧瓷标本·宋代

图 2-48 青色泛蓝釉钧瓷标本·宋代

图 2-49 青色泛蓝釉钧瓷标本·宋代

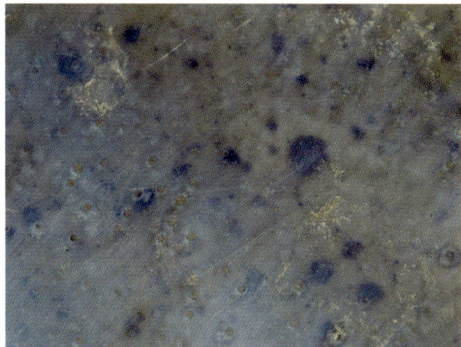

6. 玫瑰紫釉

玫瑰紫釉是一种高温还原铜红釉，由于釉内含少量的铜，在高温还原的气氛中烧制而成，红色为釉质中铜的还原色彩，多与天青、天蓝等色釉以最完美的方式交融在一起（图2-50）。玫瑰紫釉具有鲜明的时代特征，宋、金、元等各个时期都有见，宋代最为丰富。墓葬和遗址都有见，但如果与钧瓷总量相比，只是沧海一粟，一种点缀而已。钧瓷玫瑰紫釉的存在多是在青色釉之上的斑块。如在天青釉之上形成玫瑰紫色的斑块，大小不一，形无约束，犹如天空中的红霞。从部位上看，玫瑰紫斑块多在较为醒目的地方。在光泽上色彩淡雅，有一些浑浊感，与青釉一起，通体闪烁着非金属的淡雅光泽（图2-51）。玫瑰紫釉与精致程度的关系密切，主要以精致瓷器为显著特征，玫瑰紫釉与钧瓷青釉交相辉映，不断地在艺术上进行着超越；普通瓷器之上玫瑰紫釉也有见，在数量上还是比较多，但在色彩呈现上明显不及精致者；粗糙瓷器之上玫瑰紫釉并不多见，数量比较少，鉴定时要注意分辨。

另外，还有海棠红、柿红釉、深红釉等的钧瓷红釉与青色交相辉映（图2-52），相互交融，与青瓷共同形成釉色，精美绝伦，美不胜收，犹如天空中的红霞映红了天空。我们在鉴定时应注意分辨。

图 2-50　钧瓷玫瑰紫釉标本·宋代

图 2-51　钧瓷玫瑰紫釉标本·宋代

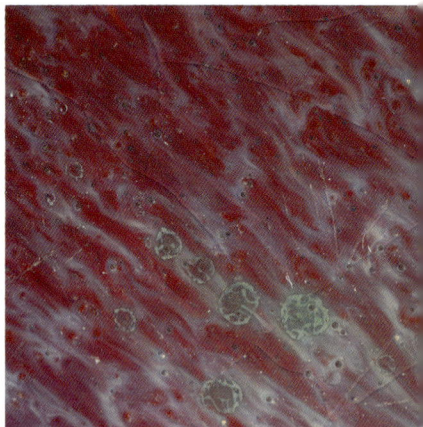

图 2-52　钧瓷海棠红釉标本·宋代

二、釉质特征

1.开 片

窑内温度与釉质的不协调，直接导致钧瓷釉面开片的形成（图2-53）。"从精致程度上看，钧瓷的开片与精致程度关系似乎并不密切，精致瓷器之上有见，普通的粗糙的瓷器之上也有见，因此在这一点没有过于规律化的特征"（姚江波，2010）。从时代上看，钧瓷开片贯穿于钧瓷发展始终，宋代最轻微，形状常见的有长条状、浅开片、大开片、小开片、稀疏开片、细碎开片、细小开片、蟹爪开片等（图2-54），由此可见开片显然是可以控制。

2.厚 薄

钧瓷釉质厚薄特征明晰，主要以厚釉和较厚釉为主。在时代上，宋代多以较厚釉为主；金代也以较厚釉为主流，厚釉的钧瓷有见（图2-55）；元代厚釉的瓷器十分常见。可见钧瓷标榜厚釉，以厚釉为美。从精致程度上看，精致、普通、粗糙的钧瓷都有见。鉴定时我们要注意分辨。

图2-53 有开片的钧红釉盘·宋代

图2-54 钧瓷大开片标本·宋代

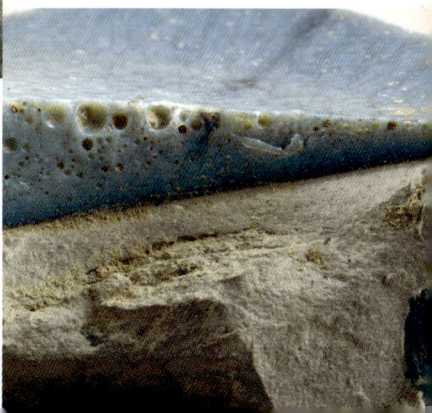

图2-55 厚釉钧瓷标本·宋代

图 2-57 足部流釉明显的
钧瓷香炉·宋代

3. 均 匀

钧瓷釉质均匀者有见，但显然不是主流。
因为钧瓷并不是通体釉质肥厚，如钧瓷碗的厚
度多在内心，内心中部可以说最为肥厚，之后向
薄扩散，肥厚的程度可以是其他地方数倍以上（图
2-56）。通体施釉均匀者不多见，主要以局部不均为主；
釉层不均由上而下渐进演变。宋代釉层均匀者较为常见，其 他时代
不是很常见。钧瓷釉层均匀与否与精致程度没有必然的联系。

4. 流 釉

钧瓷流釉者常见，这是由钧瓷石灰碱釉黏度大、流动慢、容易
形成釉层堆积的特性造成的，可见钧瓷并不避讳流釉（图 2-57）。从
视觉上看，钧瓷流釉可以分为轻微和严重两种情况。"轻微流釉的
现象在钧瓷之中只是有见，但并不占主流，特别是在数量上很少见。
在一些钧瓷之上，我们可以看到通体没有流釉的现象，只是在足底
部看到一些经过仔细观察才能看到的微弱的流釉现象"（姚江波，
2010）。由此可见，轻微流釉在釉面上的表现的确不是很好。钧瓷主
要是以严重流釉为主，流釉痕迹比较大（图 2-58），多集中在腹下部
至底足处。时代和精致程度与流釉的关系并不明显。

图 2-56 釉层不是很均匀的钧瓷瓶·明代

图 2-58 大流釉痕迹的钧瓷标本·宋代

图 2-60　釉质稠密的钧瓷荷叶盖罐·元代

图 2-59　釉内杂质明显的钧瓷碗·宋代

5. 杂　质

钧瓷釉质内有杂质的情况时常有见，通常有严重和轻微之分。严重杂质可以清晰地观察到，分布均匀；轻微杂质表现不明显（图 2-59），以星星点点状为多见。从时代上看，钧瓷杂质特征呈现出反比的趋势：宋代以轻微杂质为主；金代杂质略微严重；元代严重杂质常见。与精致程度的关系，精致、普通、粗糙的杂质都有见。

6. 稠　密

钧瓷以稠密为显著特征，基本失透。在时代特征上，宋、金、元等各个历史时期都是这样，可以说是贯穿于钧瓷史始终（图 2-60）。从窑口上看，没有过于规律性的特征。与精致程的关系密切，无论是精致、普通，还是粗糙的瓷器都有见稠密者。

图 2-61　精细化妆土钧瓷标本·宋代

7.化妆土

化妆土犹如妇女化妆时在面部打的粉底，薄薄的一层。钧瓷在化妆土上十分精细，厚薄均匀、细腻，未施化妆土的钧瓷几乎不见（图2-61）。在时代上以宋代最为精细，金元时期在态度上有所松懈。

8.棕　眼

钧瓷有棕眼者常见。基本上所有的钧瓷都有棕眼存在（图2-62），只是存在的稀疏程度，以及大小不同而已。有的钧瓷我们看起来似乎没有棕眼了，但仔细观察还是可以看到1～2个棕眼。棕眼的形成显然与钧瓷石灰碱釉在高温下黏度大、流动性差有密切关系。由此可见，棕眼是钧瓷固有的特征，只是明显与否的问题。有些棕眼我们外表察觉不到，而从横截面上可以清晰地看到棕眼的一切（图2-63）。通常情况下，棕眼在釉内要比釉面看到的大好几倍。棕眼现象在时代上贯穿于钧瓷的始终。从精致程度上看，普通、粗糙的瓷器之上基本都有棕眼的存在，鉴定时应注意分辨。

9.手　感

精致钧瓷给人的感觉细腻、润泽（图2-64），使人心情舒畅，神清气爽。普通钧瓷在润泽感上只是一种光滑感；粗糙瓷器在手感上润泽感也比较强，但有时会触及到一些釉面上的杂质、起泡等。从重量上看，钧瓷略重，但精致的钧瓷同等大小的器皿会比普通瓷器轻盈（图2-65），这一点很明确，与选料、淘洗、瓷化程度等关系密切。从时代上看，宋代钧瓷给人的感觉重量最轻，金元时期越来越重。

图 2-62 棕眼明显的钧瓷标本·宋代

图 2-63 棕眼明显的钧瓷标本·宋代

图 2-64 手感细腻的钧瓷盘·宋代

图 2-65 手感厚重的钧瓷罐·元代

图 2—66 施全釉钧瓷盘标本·宋代

图 2—67 施全釉钧瓷标本·宋代

图 2—69 底部未施釉钧瓷碗·宋代

10. 施釉部位

钧瓷施釉部位主要有通体和局部施釉两种情况。通体施釉者很少见（图 2-66），主要以官窑器皿为主（图 2-67）。这是为了防止钧瓷的底足不划伤宫廷内的红木、紫檀等家具。从精致性上看，多数通体施釉的钧瓷精美绝伦，而普通和粗糙的钧瓷在通体施釉上则表现出较强的偶见性。局部施釉是钧瓷的主流（图 2-68），可以说绝大多数钧瓷在施釉上都是局部的，通体施釉的情况占极少数。从局部施釉上看，以底足部未施釉为显著特征（图 2-69）。从精致程度上看，精致、普通、粗糙的瓷器都有见。

图 2—68 局部施釉钧瓷注·宋代

图 2-71 大敞口钧瓷碟·宋代

第五节 造 型

一、口 部

钧瓷口部种类繁多，常见的
造型主要有敞口、敛口、侈口、子
母口、花口、大口、小口、喇叭口、
不规则口等（图 2-70）。这些口部造
型，墓葬和遗址当中都有见，在出现的
频率上并不均衡，而是具有较大的差异性特
征。从比例上看，以敞口、敛口、侈口、大口等为
多见，小口、喇叭口、花口、子母口等相对少见。钧瓷在口部上是一
个大的概念，在不同的口部造型之下，可以衍生出新的衍生性造型。
如敞口就可以衍生出大敞口、小敞口、微敞口等（图 2-71）；直口可
以衍生出近直口、口微直、小直口、大直口等，判断的标准主要为视
觉。其他的口部造型也是这样，正是如此丰富的口部衍生造型，造就
了巍巍壮观的钧瓷口部造型群（图 2-72），鉴定时应注意体会。

图 2-70 大口钧瓷盘·宋代

图 2-72 微敛口钧瓷碗·宋代

钧瓷口部在形制上特征以简洁为主，多数口部造型显得非常直观。如敞口即口部向外张得比较大的口部；敛口有一个明显的内敛过程（图2-73），模糊不定的情况也很少见，在造型上显得非常成熟。中国古代钧瓷在器物造型上所涉及到的十分丰富，如碗、洗、盘、碟、执壶、钵、瓶、盆等基本上都涉及到了，只是不同器物造型之上常选择的器物造型不同而已。如敞口主要在碗、钵、洗等器皿之上使用；喇叭口多出现在瓶等器皿之上（图2-74），鉴定时应注意分辨。在功能上，钧瓷口部特征明确，主要体现的是实用的功能，装饰的功能也有见，但多处于辅助的地位，鉴定时应注意分辨。

图2-73　微敛口钧瓷碗·元代

图2-74　喇叭口钧瓷瓶·明代

图 2-75　厚唇钧瓷碗·宋代

图 2-76　圆唇钧瓷碗·宋代

图 2-77　圆唇钧瓷碗·宋代

图 2-78　圆唇钧瓷碗·宋代

二、唇 部

　　钧瓷常见的造型主要有尖圆唇、圆唇、方唇、尖唇、卷唇、平唇、厚唇等（图 2-75）。其中以圆唇的比例最大（图 2-76），尖圆唇次之，其他唇部相对较少。从厚薄上看，钧瓷唇部厚度十分明确，以厚唇为显著特征。从衍生造型上看比较强，如圆唇可以衍生出近圆唇、尖圆唇、圆唇外撇、圆唇近侈、厚圆唇、方圆唇等造型（图 2-77）。正是如此丰富的唇部衍生造型，造就了巍巍壮观的钧瓷唇部造型群。钧瓷唇部形制以简洁为主，多数唇部造型显得非常直观，圆唇、厚唇等一眼就能够看得出来，模糊不定的情况也很少。由此可见，中国古代钧瓷唇部形制已十分成熟。钧瓷不同唇部造型之上常选择的器物造型不同。如圆唇主要以碗、钵、洗为主（图 2-78）；方唇以花盆、碗、瓶等器皿常见；尖圆唇以碗、盘等数量最大，鉴定时应注意分辨。钧瓷唇部造型在功能上以实用为主，兼具有装饰的功能，这一点很明确。

图 2-79　花口沿钧瓷标本·宋代

图 2-81　平折沿钧瓷标本·宋代

三、沿 部

钧瓷沿部种类十分丰富，平沿、翻沿、平折沿、敞沿、厚沿、薄沿、卷沿、敛沿、花口沿、撇沿等都有见（图 2-79）。从厚薄上看，钧瓷唇部主要以厚沿为显著特征（图 2-80），薄沿的造型有见，但数量不是很多。沿部在衍生性上比较强，如卷沿就可以衍生成微卷沿、卷沿较甚等；平沿的造型可以衍生为平折沿、近平沿、宽平沿、窄平沿等（图 2-81）。众多的衍生造型组成了无比丰富的钧瓷沿部种类群。在数量特征上比较简单，基本上没有一枝独秀的现象，较具均衡化的状态。钧瓷在沿部形制上以简洁为主，相当直观，以视觉

图 2-80　厚沿钧瓷香炉·宋代

为判断标准（图2-82），鉴定时应注意分辨。

钧瓷中不同的沿部在器形的选择上各异，如盆多选择的是平折沿的造型；另外造型之间相互融合性比较强，如钧瓷香炉在沿部造型上可以说是积聚了三种沿部造型：宽沿、平沿、折沿。钧瓷造型在功能上比较明确，如钧瓷花口沿在造型上首先是能够吸引人们的眼球（图2-83），但同时具有很强的实用功能，而且这种装饰性是有限的，都是居于实用功能之下。由此可见，钧瓷花口沿在功能上只不过是以装饰为先导，其本质的功能还应该是实用为主。

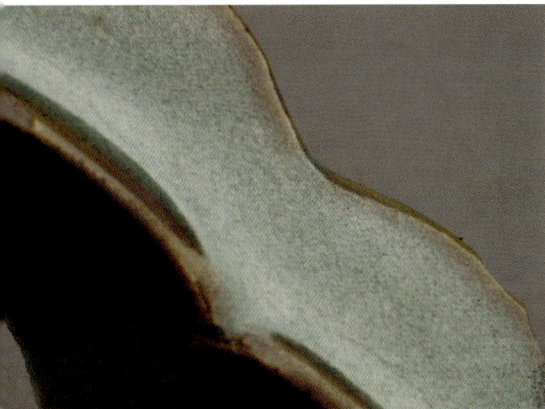

图2-83 钧瓷花口沿标本·宋代

图2-82 卷沿钧瓷注·宋代

图 2-84　鼓腹钧瓷罐·元代

四、腹 部

钧瓷腹部种类集大成。常见的腹部种类有鼓腹（图 2-84）、折腹、弧腹、浅腹、深腹、敞腹、球形腹、斜腹、花形腹、棱形腹、直腹等（图 2-85），而且这些腹部造型衍生性比较强，如鼓腹的造型就可以衍生成为微鼓腹、近鼓腹、扁鼓腹、小鼓腹、大鼓腹、弧鼓腹、瓜棱鼓腹、圆鼓腹、不规则的鼓腹等诸多造型（图 2-86），这样就造就了规模庞大的腹部造型群。在数量上，鼓腹及其衍生性造型居于明显优势地位，最为丰富，其次是其他的腹部造型。钧瓷腹部形制造型较为直观，视觉完全可以判断出来。钧瓷腹部在功能上主要以实用为主，兼具有装饰性的功能（图 2-87）。鉴定时应注意分辨。

图 2-85　弧腹钧瓷碗·宋代

2—86 大鼓腹钧瓷碗·元代

2—87 鼓腹钧瓷执注·宋代

2—89 平底钧瓷标本·宋代

五、底 部

　　钧瓷底部在种类特征上比较单一，以平底为主（图2-88），圜底有见。钧瓷平底具有一定的衍生性，如近平底、平底内凹、平底微凸、大平地、小平底等（图2-89）。

2—88 平底钧瓷碗·宋代

图 2-90 小平底钧瓷碗·元代

图 2-91 平底钧瓷碟（三维复原图）·宋代

　　从形制上看，钧瓷底部有复杂之处，虽然看上去是平底的造型，但其衍生性造型比较复杂，如大平底、小平底、平底内凹、平底微凸等，需要进行判断。如一些钧瓷大碗的口径特别大，但底径却比较小（图 2-90），形成了鲜明的反差。有的底部凸起形成了所谓的"乳突"，鉴定时注意分辨。

　　从器形上看，不同底部在器物造型的选择上不同，但主要体现在出现的频率不同。如钧瓷碟的底部基本上都是平底（图 2-91），但形成乳突的情况很少见；再如钧瓷花盆，多以大平底为主。钧瓷底部在功能上特征十分明确，主要以实用和装饰的结合为显著特征，鉴定时要注意分辨。

图 2-92 三支足钧瓷香炉·宋代

六、足 部

钧瓷足部造型比较复杂，常见的有圈足、花座足、脊背形足、尖状足、乳足、支足、卧足、饼足、喇叭形圈足等（图 2-92）。当然，这绝不是足部造型的全部。钧瓷足部造型通常情况下具有较强的衍生性，如圈足就可以衍生出暗圈足、薄圈足、不规则形圈足、方圈足、矮圈足（图 2-93）、小圈足、斜直圈足、环状圈足、假圈足、宽圈足、花形圈足等不同的足部造型（图 2-94）。几乎所有的造型都可以衍生出衍生造型，可见钧瓷在足部造型上的确是十分丰富。钧瓷各种足部造型以圈足数量最多，固定化的趋势比较明显。

图 2-94 矮圈足钧瓷碗·宋代

图 2-93 矮圈足钧瓷碗·宋代

图 2—95　圈足微外撇钧瓷碟·宋代

　　在形制上，各种足部造型形制以简洁明快为显著特征，非常的直观。如圈足的造型一看就是圈足，衍生造型也是这样，这与其民间窑场的性质是分不开的（图 2-95）。钧瓷不同足部造型会选择相应的器形，如碗常选择圈足，也有少量的饼足、喇叭形足等；而香炉的足部基本上都是支足，其他足部造型很少见。钧瓷足部在功能上十分明确，显然主要是以实用为主，但极为注重实用与装饰的结合（图2-96）。鉴定时应注意分辨。

图 2—96　实用与装饰结合紧密的精致圈足钧瓷盘·宋代

第三章　官汝青瓷

第一节　窑　口

一、官　窑

官窑是宋代五大名窑之一，是青瓷器烧造的巅峰之作（图 3-1）。官窑可以分为北宋官窑和南宋官窑。北宋官窑设在汴京附近，为宋徽宗开创，时间很短，南宋顾文荐《负暄杂录》称"宣政间京师目置窑烧造，名日官窑。"就算从宋徽宗政和元年（公元 1111 年）算起，到"金兵大举南下的消息传到开封，宋徽宗大惊失措，'不复议战守，惟日谋避挟之计'"到"宣和七年十二月二十三日，他急忙把

图 3-1　官窑瓷香炉·当代仿宋

帝位传给太子赵桓（钦宗）后，便带着蔡仪和几个内侍连夜南逃（朱绍侯、张海鹏、齐涛，2001）"为止，最多也只有是十几年之久。究竟徽宗的官窑烧制的是什么样的精美瓷器，由于窑址被埋在现开封城 6 米以下，我们无法得知（姚江波，2002），明《格古要论》载"汴京官窑色好者与汝窑相类"，我们只能以此为论据，推测汴京官窑的产品和汝窑相类似。不过由此可见，官窑瓷器既然是可以与汝窑瓷器相比，那么显然说明官窑瓷器不及汝窑好，应该是仿造汝窑而烧制的官家用瓷。官窑瓷器在当时应该是供宫廷使用，基本上不会大量流入民间（图 3-2）。所以说官窑瓷器传世品也不是很多，主要留藏的地点在今天的故宫博物院和台湾故宫博物院，多数都是清宫传下来的珍品，造型常为一些日常生活用具和陈设瓷，如碗、洗、瓶、炉等。这些器皿造型异常细微，可以说是多种多样，这一点虽然我们见到的实物有限，但是我们可以通过同时期其他窑口的瓷器造型，来窥视官窑瓷器。我们来看一则实例："故宫博物院收藏的官窑圆洗中，有洗身近直微外撇，平底，里外满釉裹足支烧，底有支钉痕，造型、釉色与汝窑器相近，装烧工艺亦与汝窑支烧法相同者，应是北宋汴京官窑制品"（王莉英，2002）。由这件传世的官窑瓷器看，北宋官窑的瓷器与汝窑的确有相似之处，且不说造型，就说其施釉特征是内外满釉，这显然都是汝窑的特征；又是支烧，底有芝麻大小的支钉痕（图 3-3）。由此可见，官窑瓷器的烧造是模仿汝窑，其产品一定是和汝窑极为相似，或者是胜过汝窑。不过从记载上看，历史上还有一个官窑，这就是北宋灭亡之后赵构在临安建立的官窑。据说是沿袭旧制而造，这样我们从南宋官窑中自然也能领略到北宋官窑的风采。下面就让我们来看一看南宋官窑。

南宋《负暄杂录》载"中兴渡江，有邵成章提举后宛，号邵局，袭故京遗制，置窑于修内司，造青器，名内窑，澄泥为范，极其精致，油色莹

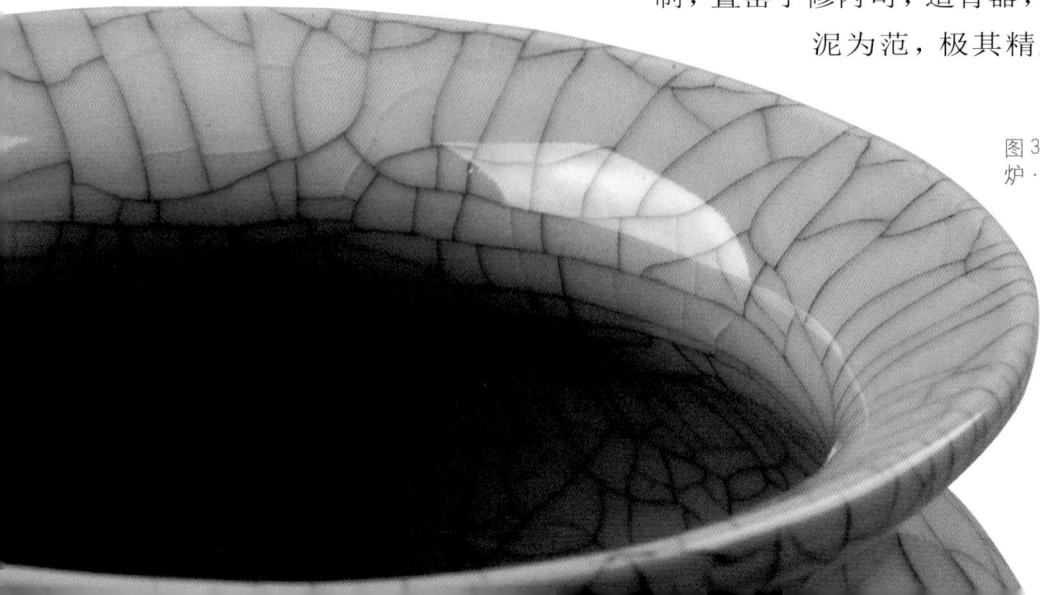

图 3-2 官窑瓷香炉·当代仿宋

澈，为古所珍。后郊坛下别立新窑，比旧窑大不侔矣。余如乌泥窑、余杭窑、续窑、皆非官窑比。若谓旧越窑，不复见矣。"由此可见，南宋官窑的确是承北宋官窑而烧制的官窑。一为修内司官窑，二为郊坛下官窑。书中的记载是否可信，我们按照所指位置去发掘就可以验证真伪了。"修内司官窑的地点在杭州凤凰山下，但确切的窑址尚未发现；二是'郊坛下官窑'，位于杭州市南郊乌龟山一带，亦称'乌龟山官窑'。1930 年发现窑址，1956、

图 3-3　汝窑瓷花形杯·当代仿宋

1985 年冬至 1986 年春先后进行两次考古发掘，发掘出龙窑与作坊遗迹，并获得大量标本"（王莉英，2002）。由此可见，书中的记载都是事实，决非虚构，这样我们就可以通过南宋官窑的瓷器来窥视北宋官窑瓷器。因此，该窑址的发现等于也为我们揭开了北宋官窑瓷器之谜。我们来看南宋官窑瓷器的主要特征："官窑分薄胎和厚胎两类，胎呈赭黑色，也有灰、灰白及米黄色，胎质细腻。薄胎者非常薄，极个别胎体厚度不超过 1 毫米，釉层厚润超出胎体，器底无釉露出赭黑色胎，称之为"柴口铁足"，釉色多作粉青色，口缘边棱等彩薄处现出胎色，厚釉多有大开片，故片不着色，无纹者有缩釉，棕眼等疵点。厚胎者灰青色，多见细小开片，即有支烧，也有垫烧。即有盘、碗等小型陈设器，也有中型的，如六棱花口瓶那样的中型陈设器"（陈克伦，1977）。这就是南宋官窑瓷器，看起来确实精美绝伦。不过根据故宫里所藏北宋官窑传世品的情况来看，南宋官窑和北宋官窑并非完全相同，而是南宋官窑在沿袭旧制的基础上有所改变，南宋官窑在烧造技术上明显有提高，底部刮釉等诸多方面与北宋官窑也有不同，但最后烧制出来的特征却与汝窑器很相似。比如，遗址中发现的大量瓷片标本，有一个共同的特点，就是"紫口铁足"。这实际上是汝窑瓷器最大的特点，看来的确南宋官窑是在沿袭旧制，在制作如北宋官窑那样的瓷器。但这里有一个疑问，就是为什么仿汝窑瓷器就是在仿北宋官窑器呢？这是因为北宋官窑仿烧的是汝窑瓷器，常以"与汝窑类似"而自居，所以我们由此推断，南宋官窑瓷器主要是仿烧北宋官窑瓷器，而南宋官窑瓷器和北宋官窑，以及汝窑瓷器都非常相似，所以就造成了这三个窑的瓷器十分相似的特点。不过，无论我们怎样讲宋代的官窑瓷器，有一点都是不能回避的事实，就是宋代官窑瓷器首开我国历史上官窑瓷器的先河，影响极其深远，在中国古代陶瓷史上留下了极其光辉的一页。

二、汝 窑

汝窑的窑址在今天的河南省宝丰县清凉寺，宋时属汝州，故以其地为名。汝窑瓷器被誉为是宋代五大名窑之首（图3-4），这是举世公认的。宋代顾文荐的《负喧杂录》"本朝以定州白瓷器有芒不堪用，遂命汝州造青窑器。故河北唐、邓、耀州悉有之，汝窑为魁"。南宋周辉在《清波杂志》中写到"汝窑宫中禁烧，内有玛瑙未为油。惟供御拣退，方许出卖"。宋代周密在其《武林旧事》中记载张俊向高宗皇帝"贡奉汝窑瓷器"16件。宋周密在《咸淳起居注》中还说"淳熙六年（1179年），太上太后幸聚景圆赏牡丹，剪好色样者千朵，安置花架皆是水晶及天晴（青）汝窑金瓶"。欧阳修在其《归田集》中这样来赞誉汝窑瓷器，他说："柴氏窑色如天，声如磬，世所希有，得其碎片者，以金饰为器。北宋汝窑颇仿佛之，当时设窑汝州，民间不敢私造，今亦不可多得。谁见柴窑色，天青雨过时。汝窑磁较似，官局造无私。粉翠胎金洁，华腴光暗滋。旨弹声戛玉，须插好花枝"。以上是古人对汝窑瓷器的记述，可知汝窑在宋代已是名窑，曾为宫中烧造瓷器，在质量上居各窑之首。古人之所以对汝窑这样赞誉，是因为瓷器尽善尽美，几乎是没有什么缺陷。在釉色上达到了青瓷器烧造的尽头；在造型上汝窑更使人叹为观止，件件造型隽永，可谓是精绝之作；在胎质上达到了匀净、致密、坚固为一体，连胎色都是一致的"香灰胎"（图3-5）。如果不是汝窑的出现，这简直是我们想都想不到的事情。汝窑的窑址1986年在河南宝丰县清凉寺发现，并出土了不少瓷器及标本，为解开汝窑之谜提供了许多较科学的资料。

图3-4　汝窑瓷器标本·北宋

图 3-5 "香灰胎"色汝瓷标本·北宋

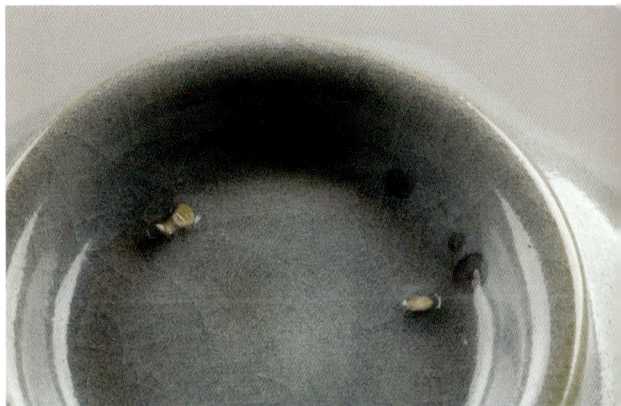

图 3-6 满釉支烧汝瓷杯·当代仿宋

汝窑的传世品极少，目前散落于世界各地。如北京故宫博物院、上海博物院、台北故宫博物院、英国 David 基金会等地方都有汝官窑瓷的收藏，但总数不会超过 25 件（冯先铭，1994）。可见，汝窑瓷器的传世品的确十分罕见，这些传世品件件都是惊世之作，因为它们都是汝窑的出炉精品。而我们知道，汝窑瓷器出炉是非常之难的。窑址之上发现的瓷器也有很多是精品，但大多都是残缺不全。所以，我们在欣赏汝窑瓷器时一定要传世品和发掘品都看，这样才能全面地欣赏到精美绝伦的汝瓷精品。

汝窑瓷器加上窑址里发掘的瓷片，其总量也不是很多，但是专家们还是根据传世品和科学发掘品，总结出了汝官瓷器的一些简要特点。下面来看一下：汝窑的胎色呈香灰胎，胎质细腻，胎体坚硬致密；天青釉、粉青釉，细开片；芝麻痕支烧（图 3-6）；从造型上看，"少数是仿古陈设，如尊、瓶之外；多数是盘、洗、碗、盏、托、碟、奁等日用生活品，汝窑瓷器很少有纹饰，仅见宝丰清凉寺出土的一件带有刻花装饰"（冯先铭，1994）。汝窑瓷器的器底，偶见刻有铭文，主要有"奉华"和"蔡"两种。"奉华"当是南宋高宗德寿宫的配殿"奉华堂"的专用瓷器。"蔡"无疑是一个姓氏，或为蔡京（徽宗时任太师，位及大臣）、蔡绦（徽宗驸马）父子（陈克伦，1977）。总之，汝窑青瓷在不计工本地烧造，在胎体的精细程度，工艺的精湛性、釉色等诸多方面都达到了历史之最。鉴定时应注意分辨。

图 3-7　官窑瓷香炉·当代仿宋

第二节　鉴定要点

一、品相与功能

　　官汝青瓷在品相上特征明确。官窑青瓷传世到今天的基本上都是完好无损的器皿，这得益于其良好的收藏环境，多是以宫廷收藏（图3-7），从宋代到明清传承有序。由于窑址没有发现，所以残缺的器皿很少见。汝窑瓷器在传世品上同官窑基本相似，都是传承有序，如今基本上被收藏在重量级的博物馆里，都是完好无损、精美绝伦之器。但其特点是数量非常少，全世界也只有几十件而已。官汝青瓷在功能上十分明确，为精美绝伦的艺术品，具有陈设、装饰、把玩的功能，但同时还具有实用的功能，可以说是装饰和实用的功能并重。官汝青瓷只在宫廷内使用，主要供帝王和嫔妃们陶冶情操和饮食之用，不计工本的烧造目的是追求一种境界。从传世品上看，官汝青瓷在做工上堪称精绝，一丝不苟，绝无敷衍之作；在工艺技术上更是达到了巧夺天工（图3-8）。另外，官汝青瓷的功能在不同的人看来是不一样的。帝王在使用时可能觉得这很平常，官汝青瓷碗可能就是用来吃饭的，但对于普通人来讲，官汝青瓷不会真的用来盛放饭食，而是价值连城的艺术珍品。

图 3-8 汝窑花形杯·当代仿宋　　图 3-9 优质高岭土料烧造的汝瓷标本·北宋　　图 3-10 "香灰胎"色汝瓷标本·北宋

二、胎 质

1.高岭土胎

中国古代官汝青瓷以高岭土为料。从胎色上看，官汝青瓷在胎色上具有鲜明的特征，以青灰胎、香灰、赭黑色等色为主。其中，汝窑以"香灰胎"为标志性特征，胎体非常细腻，像香燃尽的灰一般（图 3-9），精美绝伦。官汝青瓷在时代上以宋代为显著特征。官汝窑是宋代的名窑，在宋代既完成了产生、鼎盛、衰落的全过程，在工艺上达到最高水平，并伴随始终。从精致程度上看，高岭土选料的优良是其唯一特性，其他没有过于复杂性的特征。鉴定时应注意分辨。

2.淘 洗

淘洗是在选料之后的一道必需的工序，官汝青瓷在胎体淘洗上可谓是精益求精。从胎色上看，色彩达到了最纯正，"香灰胎"是其追求的最高境界。从原料上看，官汝青瓷选择了最为优良的高岭土料。从精致程度上看，淘洗精益求精是其唯一特征，在精致程度上为精美绝伦的艺术珍品，鉴定时应注意分辨。

3."香灰胎"

汝窑的窑址已经发现，从出土的众多标本上看基本为"香灰胎"。官窑瓷器与汝窑相类似，推测官汝青瓷在胎色上的最高追求是"香灰胎"。从胎色上看，"香灰胎"并非是视觉的盛宴（图 3-10），的确是如灰烬，在胎色上达到了纯正的程度，色彩稳定性很强。从造型上看，官汝青瓷中的"香灰胎"色几乎涉及所有造型，是官汝青瓷的唯一特性。从时代上看，"香灰胎"伴随官汝青瓷始终。从窑口上看，香灰胎显然已经成为官汝窑瓷器的象征。从精致程度上看，"香灰胎"的官汝青瓷都是精美绝伦的艺术品，其他别无特征。

4. 精细胎

官汝青瓷在胎体上以精细胎体为主，这一特征是纯粹的，几乎所有的官汝青瓷在胎体上都是精细胎，选料考究、淘洗精炼、胎色纯正、气孔、杂质等被控制到了相当优质的状态，胎体达到了至纯至美，显然是在制作最为精美绝伦的艺术品。官汝青瓷在胎体上的成就达到了青瓷器皿胎体精细的尽头，历代几无超越者，鉴定时应注意分辨。

5. 略厚胎

官汝青瓷在胎体的厚度上以略厚胎为显著特征，从传世和出土的器物来看，官汝青瓷在胎体的厚薄上并没有很薄的情况，也没有很厚的现象，主要是基于造型的略厚胎体，在胎体略厚的程度上基本相类似，这说明其均匀程度非常好。显然，官汝青瓷在胎体的厚度上秉承的还是传统（图 3-11），之所以涉及了略厚的胎体就是为了适合更多人的审美需求，使其成为最具亲和力的瓷器。显然，官汝青瓷在这一点上极为成功。

6. 瓷化程度

中国古代官汝青瓷在瓷化程度上非常好，也正是这一点体现了官汝青瓷高超的制瓷工艺和技术水平。我们知道，温度过高会使瓷器釉面产生过多的开片，釉色的鲜亮、温润性都会受到影响。而我们可以看到，官汝青瓷在瓷化程度较好的情况下，将这些矛盾化解得非常好。在开片的处理上，要么是控制得非常好，很少见到开片，要么是将开片控制到固定化的状态。如汝窑瓷器主要是以蟹爪纹为显著特征，官窑瓷器也将开片控制到了一定的形状。釉质鲜亮、温润的程度没有受到丝毫的影响，如玉般温润质感，使人犹入幻境（图 3-12）。另外，在胎体上由于烧造温度高，胎体被完全烧结，"香灰胎"的色彩进入到了胎色最美的佳境。总之，官汝青瓷在瓷化程度上达到了最高水平。

图 3-11　略厚胎汝瓷杯·当代仿宋

图 3-12　瓷化程度较高的汝窑瓷器标本·北宋

图 3-14
手感轻盈的汝瓷标本·宋代

7. 气孔与杂质

中国古代官汝青瓷胎体有气孔和杂质的情况有见，但数量少到了极点，几乎所有的胎体都是细腻如灰，胎体匀净，美不胜收。从理论上讲，气孔和杂质显然是不可避免的，只不过由于工艺过于精湛，官汝青瓷胎体横截面上的气孔和杂质我们的视觉感觉不到而已。对于这种不明显的气孔和杂质，我们称之为胎体匀净，而官汝瓷器显然基本上都是胎体匀净者，鉴定时应注意分辨。

8. 艺术品特质

中国古代官汝青瓷在胎体之上表现出了其特有的艺术品特质，为视觉上的盛宴，杂质、气孔这一胎体上很难控制的缺陷被控制到了一个较为稳定的水平，基本不见。胎体致密、匀厚、细腻及坚硬的程度都达到了历史之最，以"香灰胎"色为最美，将胎色固定化到一种。如此精绝的胎体，如此的不计工本，其目的显然是在做精美的艺术品，力求达到"尽善尽美"（图 3-13）。力求实现对于宋人"内外一致"，讲究内外纯粹之美的最恰当的诠释。显然官汝青瓷实现了这一点，简洁之美不溢于言表。我们在鉴定之时要特别注意其艺术品的特质。

9. 手 感

中国古代官汝青瓷在手感上轻盈（图 3-14），这与其选料关系密切。淘洗不计工本，异常精炼，瓷化程度特别好，总之是将胎体的一切杂质去除，达到了胎体最为纯净的程度，所以即使以略厚胎为显著特征，但是整个器物在手感上与同类器物相比，显得轻盈，鉴定时应注意分辨。

图 3-13 "尽善尽美"的汝瓷标本·宋代

三、完 残

1. 完 好

官汝青瓷中完好者有见（图 3-15），以传世品为主，但传承有序，目前全世界所遗存器物不多，只有几十件，数量非常少。主要以有残缺的器皿为主，鉴定时应注意分辨。

2. 残 缺

残缺的概念很容易理解，就是不仅残而且有缺失。这样的器皿北宋官窑青瓷基本不见，南宋官窑和汝窑在窑址之上有一些残片。主要可以分为轻微和严重残缺两种。轻微残缺的情况并不常见，官汝青瓷传世器皿为精美绝伦的艺术品，有着良好的保存环境，大多为宫廷秘藏，很少见到轻微残缺的情况。窑址上发现的器皿基本上为严重残缺器皿，有的所剩下的内容已不多，鉴定时应注意分辨。

3. 复 原

官汝青瓷可以复原的器皿常见，对于官汝青瓷而言，可复原主要指的是窑口上发现的有底有口沿的青瓷，这样的标本，通过模具打模逐渐拼合，完全可以将其造型复原。真正传世下来的官汝青瓷完好器是很少的，如汝窑瓷器世界上只有几十件。目前市场上能够看到的官汝青瓷基本上都是经过修复而复原的器皿，这无疑是今后收藏市场的一个方向。从收藏的角度看，蕴涵着巨大的升值潜力。

图 3-15　汝瓷洗 · 当代仿宋

图 3-16 类汝釉青瓷标本·宋代

4. 缺 失

缺失的概念是指官汝青瓷有残缺，残缺的部分不能找回，从而不能完成口沿、腹部以及底足的衔接，这些器皿不能复原（图 3-16）。这类器皿数量很多，主要以窑址为主。从精致程度上看，缺失的情况与精致程度的关系不明显，无论是精致、普通、粗糙者都有见。由于"物以稀为贵"，所以即使缺失的官汝瓷器残件也具有收藏价值，具有保值的功能，升值的潜力巨大，鉴定时应注意分辨。

5. 土 蚀

官汝青瓷有土蚀的情况常见，但具有鲜明的特征。传世品中基本不见，因为它们不曾在复杂的保存环境中存在过，因此不会受到伤害。有土蚀的器皿主要以窑址上出土的标本为主，这些标本我们可以看到比较多的土蚀侵扰。南北方在土蚀上有差异。北方地区保存比较好，如汝窑瓷器标本保存得就比较好，这主要与中原地区土壤较干燥有关，保存环境比较好。而南方地区南宋官窑标本在土蚀上则是比较严重，鉴定时应注意分辨。

四、釉　质

1. 天青釉

天青釉色在中国古代官汝青瓷中常见，也是汝窑当中最基本的釉色（图 3-17）。我们来看一则宝丰清凉寺汝窑遗址的实例："火膛内出土遗物丰富，天青釉汝瓷占 99% 以上"（河南省文物考古研究所、平顶山市文物管理委员会办公室、宝丰县文物保护管理所，2001）。由此可见，天青釉汝瓷占据着汝窑瓷器釉色的绝对主流地位。明《格古要论》载"汴京官窑色好者与汝窑相类"。可见，北宋官窑在色彩上也是以天青釉色为主，南宋官窑承袭旧制，可见天青釉色显然是官汝青瓷的主色调。从色彩上看，天青釉模仿的是天空的色彩，这种色彩非常难于捉摸，飘忽不定，汝窑瓷器几乎模仿了各种情况下天空中的青色，如"雨过天晴云破处""晴空万里""蔚蓝的天空"中的青色等，尽显天青釉色之美。从时代和窑口上看，天青釉色都是以汝窑烧造为最。从光泽上看，天青釉色在光泽上以淡雅著称，光泽均匀，通体闪烁着非金属淡雅的油性光泽。天青釉色与精致程度的关系密切，天青釉既意味着精美绝伦的汝窑瓷器，鉴定时我们应注意分辨。

2. 釉质特征

（1）开片。开片是瓷器釉面在烧造过程当中出现的裂纹，同样官汝青瓷之上也有开片的存在。从形状上看，官汝青瓷对开片形状进行了有效的控制：汝窑瓷器将开片控制到蟹爪纹（图 3-18）；官窑瓷器以大而稀疏的开片为美。从时代上看，在开片上北宋官窑和汝窑青瓷特征基本相似；南宋官窑青瓷在开片上特征逐渐丰富，但精

图 3-17　天青釉汝瓷标本·宋代

图 3-18　蟹爪纹汝瓷标本·宋代

图 3-20　釉层均匀的汝瓷标本·宋代

美绝伦。从精致程度上看，有开片的官汝青瓷与精致程度关系并不紧密，都是精美绝伦的艺术品。

　　(2) 厚薄。官汝青瓷在厚薄概念上十分清晰，以略厚釉为显著特征。从程度上看，官汝青瓷釉层厚薄程度基本相似，十分稳定（图 3-19）。从时代上看，官汝青瓷釉层在厚薄上特征并不明显，没有规律性的特征。在窑口上也是这样。从精致程度上看，官汝青瓷在精致程度上与釉层的厚薄没有关系，因为官汝青瓷显然全部为精美绝伦的瓷器。

　　(3) 均匀。均匀指的是官汝青瓷釉层均匀的程度，官汝青瓷在釉层均匀程度上显然以均匀为主（图 3-20），釉层不均的情况不见。但并不是厚度一样，釉层通常是随着器物造型不同的部位而变化，该厚的地方厚，该薄的地方薄，流畅自然。从时代和窑口上看，官汝青瓷釉质均匀程度没有过于规律性的特征。从精致程度上看，官汝青瓷在精致程度上与釉层均匀没有关联，基本上都为精美绝伦之器。鉴定时应注意分辨。

图 3-19　釉层厚薄程度稳定的汝瓷执壶（三维复原色彩图）·宋代

图 3-21　釉面匀净的汝瓷杯·当代仿宋

　　（4）流釉。官汝青瓷不见流釉现象。而我们知道，从理论上无论是再精致的瓷器都不可能避免流釉，之所以官汝青瓷看不到流釉，只是因为釉层流动较为均匀，我们的视线觉察不到而已。对于觉察不到釉质流动的现象我们即称为釉面匀净，可见官汝青瓷基本上都是釉面匀净的器皿（图 3-21）。其他复杂的情况不见，我们在鉴定时要注意分辨。

　　（5）杂质。官汝青瓷釉质上有杂质的情况很少见，杂质是一种缺陷，从理论上看没有杂质的官汝青瓷釉质是不存在的。当然官汝青瓷可以通过技术、材料、烧造态度等一些列的工序，将釉面杂质控制在相当轻微的范围内，事实上的确是这样的。官汝青瓷在釉面上堪称匀净，基本上我们的视线无法观测到杂质的存在。从时代和窑口上看，没有过于规律性的特征。

　　（6）化妆土。化妆土顾名思义就如同妇女化妆之时在面部打的粉底，官汝青瓷均施化妆土，不存在胎釉剥离等现象，态度极为认真。从精细程度上看，官汝青瓷在化妆土的施加上选料优良，精益求精，平滑、均匀、柔软是其显著特征，在其精细程度上达到了巅峰状态。无化妆土的现象不存在。从时代和窑口上看，没有过于复杂性的特征，鉴定时应注意分辨。

（7）稠密。釉质稠密显然是官汝青瓷的主要特点，官汝青瓷釉质稠密的程度切合中庸之说，就是不能很明显感觉到釉质稠密，看起来非常自然（图3-22）。从时代上看，贯穿于官汝青瓷的全过程。从窑口和精致程度上看，没有过于复杂性的特征，鉴定时应注意分辨。

（8）手感。官汝青瓷在手感上特征明确，首先给人的感觉是细腻（图3-23），手感非常好，滋润之感油然而生，带领人们的思绪进入艺术的境界，通过联想到达精神层面。其次给人的感觉是玉质感，触摸起来就是一块冰清玉洁的和田美玉，给心灵的抚慰，如沐春风的感觉涌上心田。官汝青瓷手感需要触摸，但更需要用心体会，鉴定时应注意分辨。

图3-22　釉质稠密的汝瓷标本·宋代

图3-23　手感细腻的官窑瓷标本·当代仿宋

（9）通体施釉。通体施釉在官汝青瓷中占有重要地位，我们来看一则宝丰清凉寺汝窑遗址的实例："汝窑瓷盘，满釉支烧"。从发掘出土的标本中，这种通体施釉的情况很常见，局部施釉的情况不是很常见，在一些支足近底处有见不施釉的情况，其他的情况很少见，几乎都是通体施釉。显然，通体施釉是官汝青瓷在施釉特征上的一种常态（图3-24）。从原因上看，主要是为了防止底足划伤宫廷内的名贵家具。从造型上看，通体施釉的官汝青瓷在器物造型上特征并不明显（图3-25），几乎涉及到所有的器物造型。从时代和窑口上看都不是很明显，与精致程度的关系也不是很明显，通体施釉成为了精致瓷器的象征，鉴定时应注意分辨。

五、造 型

1. 口 部

官汝青瓷口部造型众多，如敞口、侈口、敛口、花口、直口、子母口、大口、小口、撇口、盘口、喇叭口、不规则口等都比较常见（图3-26）。从数量上看，官汝青瓷中各种口部造型基本处于均衡化的状态。从形制上看，以简洁明快为显著特征，以视觉为判断标准。从器形上看，不同的官汝青瓷会选择相异的造型。从功能上看，官汝青瓷口部特征在功能上兼具实用与装饰的功能，基本上两种功能处于均衡化的状态，鉴定时应注意分辨。

图 3-24　通体施釉的汝瓷标本·宋代

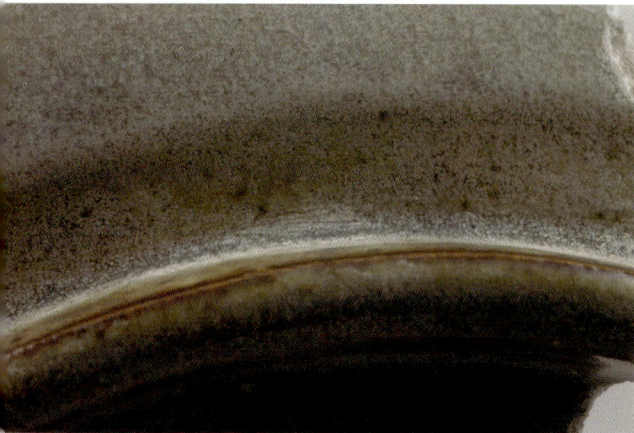

图 3-25　通体施釉的汝瓷标本·当代仿宋

图 3-27　圆唇汝瓷洗·当代仿宋

2. 唇　部

官汝青瓷唇部特征十分丰富，常见的有圆唇、方唇、尖唇、尖圆唇、卷唇、折唇、略厚唇、撇唇等（图 3-27）。从数量上看，呈现出多元化的趋势。从厚薄上看，以略厚唇为显著特征。从衍生造型上看，官汝青瓷在唇部造型上衍生性很强，如圆唇可以衍生出圆方唇、近圆唇、圆唇外侈、卷圆唇、近圆唇等造型。官汝青瓷唇部在形制上简洁明快，在造型上更为成熟。从器形上看，不同造型的唇部造型在器形上出现的侧重点不同。如圆唇常在碗、钵、盘等器皿上出现；卷唇以壶、盆等为常见。从功能上看，官汝青瓷唇部在功能特征上以实用与装饰性的结合为主。

3-26　直口汝瓷洗·当代仿宋

图 3-29 弧腹汝瓷标本·宋代

3.沿 部

官汝青瓷沿部种类主要有平沿、折沿、敞沿、卷沿、敛沿、略厚沿、撇沿、花口沿等（图 3-28），在沿部种类上的确繁多。从数量上看，以均衡性为特征，没有哪一种瓷器沿部特征能够占到主流地位。从形制上看，官汝青瓷在形制上并不复杂，如平沿就是平坦的沿部，判断的标准主要是视觉。从器物造型上看，不同的沿部造型所选择器形不同，如折沿以鼎、钵、瓶等为常见。从功能上看，官汝青瓷沿部功能以实用和装饰的结合为主，如炉上所使用的平沿，既有利于端拿，又具有美感。

4.腹 部

中国古代官汝青瓷腹部种类繁多，常见的主要有鼓腹、折腹、弧腹、深腹、敞腹、曲腹、坦腹、斜腹、圆腹、直腹等（图 3-29）。从数量上看较具有均衡化特征。从形制上看，官汝青瓷腹部形制归根结底是一个视觉上的概念，如鼓腹指的就是鼓起的腹部；瓜棱鼓腹就是写实的瓜棱形，简洁明快，完全是以视觉为判断标准。从器形上看，不同的器物造型有着其特有的腹部选择，如盒的腹部多数只能是直腹，而不太可能是夸张的鼓腹。从功能上看，官汝青瓷腹部的功能显然是以陈设和装饰为主，同时实用的功能也很强，鉴定时应注意分辨。

图 3-28 宽沿外撇官窑香炉·当代仿宋

第四章　类汝似钧

第一节　综　述

类汝似钧釉青瓷"既有汝窑精绝又有钧窑的厚重之风（图 4-1），恰似汝窑和钧窑的结合。近些年来，在汝窑与钧窑之间发现了白坪窑烧造这类瓷器"（姚江波，2010）。类汝似钧釉青瓷是自宋代便开始的一种民窑仿造汝窑瓷器（图 4-2），在数量上规模比较大，墓葬和遗址当中都有见。从时代上看，宋代数量最多，元代逐渐递减。

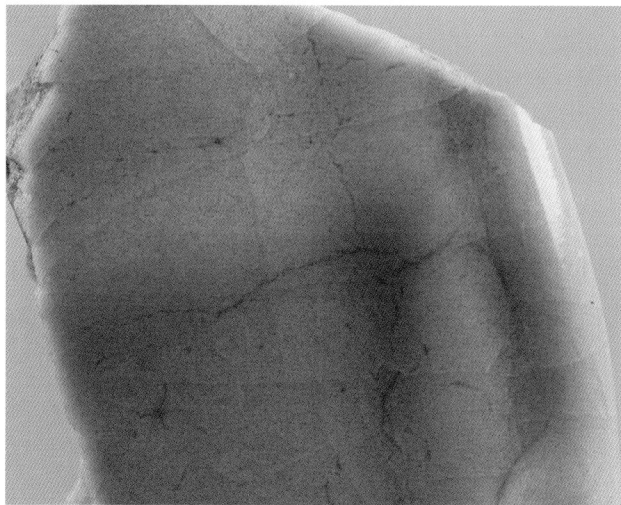

图 4-1　类汝似钧月白釉青瓷标本·宋代

图 4-2　类汝似钧月白釉青瓷标本·宋代

　　从品相上看，类汝似钧釉青瓷完整器皿比较多（图4-3），在品相上较好。类汝似钧釉青瓷在胎体色彩上异常复杂，常见的胎色就有白胎、橙色胎、褐胎、黄胎、红胎、灰胎、黑胎、青胎、灰褐胎、青灰、灰黑等（图4-4）。类汝似钧釉青瓷的釉色是一个复杂的集合体，如，天青釉色就可以分为浓深、较浅、浅淡（图4-5）等，其他的釉色也是这样。类汝似钧釉青瓷在窑口上具有鲜明的特征，诸多窑口都在烧造，但目前发现主要以河南白坪窑的烧造为主。类汝似钧釉青瓷在功能上十分明确，以实用为主，兼具有陈设、装饰、把玩、实用的功能。鉴定时应注意分辨。

图4-4　灰黑胎类汝似钧釉青瓷标本·宋代

图4-5　类汝似钧天青釉瓷标本·宋代

图4-3　类汝似钧月白釉罐·宋代

图 4-6 高岭土胎类汝似钧釉青瓷标本·宋代

第二节 鉴定要点

一、胎 质

中国古代类汝似钧釉青瓷基本上是以高岭土为料，这是由高岭土料延展性好、坚固等自身诸多优点决定的（图4-6）。从时代上看，类汝似钧釉青瓷在时代上宋代为多见，元明清时期都有见。从精致程度上看，类汝似钧釉青瓷在高岭土的选料上较为随意，黏土料也有见。从胎色上看，黏土在色彩上基本被限定在橙色、黄褐等范畴内（图4-7）。从精致程度上看，黏土胎与精致程度有一定的关联，精致瓷器几乎不见，主要以普通和粗糙的瓷器为主（图4-8）。

图 4-7 黏土胎类汝似钧釉青瓷标本·宋代

图 4-8 普通类汝似钧釉青瓷标本·宋代

　　淘洗是在选料之后的一道必需的工序，类汝似钧釉青瓷在胎体淘洗上多精益求精，很少见到胎体不精的情况。从时代上看，铁黑胎基本上以宋代为显著特征，金元时期依然有少量生产。中国类汝似钧釉青瓷精细胎者有见，但数量并不是很丰富，主要以略粗胎最为多见，这是一种介于精细胎和粗胎之间的胎体。从概念上看，类汝似钧釉青瓷略粗胎并没有肆意的缺陷感，只是某一些方面有极小的缺陷。由此可见，略粗胎是类汝似钧釉瓷器的显著特征。夹砂胎的情况有见，但是数量不是很多。从精致程度上看，夹砂胎与精致瓷器基本无缘，主要以普通和粗糙的瓷器为主（图4-9）。

　　中国古代类汝似钧釉青瓷在胎体上以略厚胎为显著特征，而且较具固定化的趋势。类汝似钧釉青瓷在瓷化程度上普遍比较好，从胎体横截面来看胎体瓷化程度比较高，已完全烧结。有气孔的情况有见（图4-10），但数量很少。类汝似钧釉青瓷胎体有杂质的情况很常见，但与精致程度有着一定的关联，精致的类汝似钧釉青瓷基本看不到杂质的存在，普通和粗糙瓷器多见星点状杂质的存在。总之，中国古代类汝似钧釉青瓷在胎体之上表现出了其特有的艺术品特质，选料考究、淘洗异常精炼，称得上精美绝伦，可见是力求达到"尽善尽美"（4-11）。但显然由于民窑诸多因素的限制，最终是未能达到。但这种无涯之心已经表达得淋漓尽致，鉴定时应注意分辨。

图4-9　普通高岭土胎类汝似钧釉青瓷标本·宋代

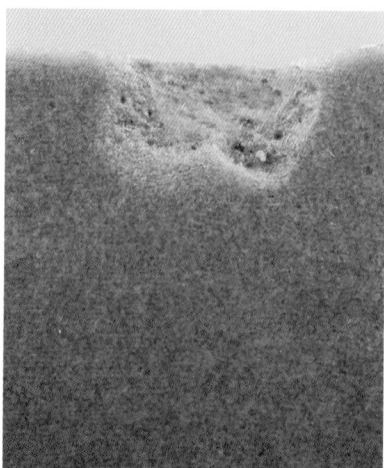

图4-10　有气孔的类汝似钧釉青瓷标本·宋代

图4-11　胎体较为精致的类汝似钧釉青瓷标本·宋代

图 4-13　微有土蚀的类汝似钧釉青瓷标本·宋代

二、完 残

　　中国古代类汝似钧釉青瓷中完好的器皿常见（图 4-12），墓葬和遗址中都有出土，主要以墓葬出土为主，在总量上有一定的量。类汝似钧釉青瓷轻微残缺的情况很常见，这与其民间用瓷的地位密切相关。严重残缺总量也比较大，几乎占到整个类汝似钧釉青瓷遗存的大部。中国古代类汝似钧釉青瓷中可复原的器皿时常有见，通常有底有口沿的对称器皿较易复原；缺失的类汝似钧釉青瓷残缺的部分已不能找回，从而不能复原。轻微磕伤，如口磕、足磕、腹部磕伤、沿部磕伤等常见，这与其实用器的地位有关。汝似钧釉青瓷中有裂缝的情况有见。类汝似钧釉青瓷有土蚀的情况比较多见，一般南方地区土蚀较为严重，而北方地区在土蚀上较好（图 4-13）。在造型技术上已十分娴熟，变形的情况很少见。鉴定时应注意分辨。

图 4-12　完好的类汝似钧釉青瓷碟·宋代

图 4-14 月白与钧红釉完美融合的类汝似钧釉青瓷
标本·宋代

图 4-15 类汝似钧月白釉青瓷标本·宋代

三、釉 质

1. 釉 色

类汝似钧釉主要模仿的是汝窑和钧窑瓷器的色彩，常见的色彩有天青釉、月白、灰青、天蓝、淡青、青绿以及钧红釉等（图4-14）。类汝似钧釉青瓷将这些色彩巧妙地结合在一起，使瓷器釉面既能呈现出汝窑瓷器的色彩，也能呈现出钧瓷的特点，亦真亦幻，美不胜收。从光泽上看，中国古代类汝似钧釉在光泽上以淡雅为显著特征，光泽度非常的柔和，油脂性光泽浓郁、均匀，通体闪烁着非金属淡雅的油性光泽。从精致程度上看，类汝似钧瓷器在精致程度上达到了相当高的水平，但与釉色之间的关系并不密切（图4-15）。不同的釉色，精致、普通、粗糙的瓷器都有见（图4-16），鉴定时应注意分辨。

2. 釉质特征

类汝似钧釉青瓷有开片的情况十分常见，但有部分控制得比较好（图4-17），从形状上看是无序的，各种各样的开片形状都有见；开片与精致程度关系并不紧密，精致、普通和粗糙的有开片者并存。类汝似钧釉青瓷在厚薄概念上十分清晰，以略厚釉为显著特征，较薄釉和厚釉有见，但数量并不是很多。类汝似钧釉青瓷釉层均匀与不均匀并存，以釉层均匀为显著特征（图4-18）。流釉有见，但并不

图 4—16 类汝似钧釉青瓷标本·宋代

图 4—17 几无开片的类汝似钧釉青瓷标本·宋代

图 4—18 釉层均匀的类汝似钧釉青瓷标本·宋代

图 4-19   轻微流釉的类汝似钧釉青瓷标本·宋代

严重。从程度上看，主要以轻微流釉为显著特征，严重流釉的情况很少见。从流釉部位上看，多数是在近底足处；流釉以普通和粗糙的瓷器为主，与精致瓷器无缘。有杂质的情况常见，从程度鉴定，可以分为匀净、轻微、严重三个等级（图 4-19）。从精致程度上看，精致瓷器之上很少见过于严重杂质存在的情况。类汝似钧釉青瓷在化妆土的精致程度上极为精细，薄薄的一层施加在胎体之上，以白色为多，平滑、均匀、细腻、柔软，基本不见胎釉剥离现象。釉质稠密是类汝似钧釉青瓷的重要特点（图 4-20），从程度上看，类汝似钧釉青瓷釉质基本上都是稠密的。几乎所有的类汝似钧釉青瓷在手感上都是细腻的，精美绝伦，几无缺憾，玉质感较强。通体施釉的情况很少，主要以局部施釉为显著特征。鉴定时我们要注意分辨。

图 4-20   釉质稠密的类汝似钧釉青瓷标本·宋代

图 4-21 敞口的类汝似钧釉青瓷碗·元代

四、造 型

类汝似钧釉青瓷口部造型众多，如敞口、侈口、敛口、花口、直口、子母口、大口、小口、撇口、盘口、喇叭口、不规则口等都有见（图 4-21），在口部造型上借鉴的成分比较浓重，几乎囊括了所有历史上曾经出现过的造型。从形制上看，类汝似钧釉青瓷以简洁明快为显著特征，以视觉为判断标准，如子母口多有一个盖和体扣合的过程。从功能上看，类汝似钧釉青瓷口部造型实用与装饰的功能完美地结合在一起，但从本质上看依然是以实用为主。

类汝似钧釉青瓷唇部特征十分丰富，常见的就有圆唇、方唇、尖唇、尖圆唇、卷唇、折唇、略厚唇、撇唇等。从数量上看主要以尖圆唇为主，其他唇部造型相对少见；从厚薄上看以略厚唇为显著特征；从衍生造型上看比较丰富，以卷圆唇和近圆唇为显著特征；从形制上看，非常的直观，完全是一场视觉盛宴；从器形上看，不同造型的唇部造型出现的器物造型侧重点不同，如圆唇常在碗、钵、盘等器皿上，卷唇常出现在壶、盆等器皿上。

从沿部种类上看也比较丰富，主要有平沿、折沿、敞沿、卷沿、敛沿、略厚沿、撇沿、花口沿等；从形制上看，沿部造型比较简单，没有尺寸上的标准，以视觉为判断标准。

图 4-22 鼓腹类汝似钧釉青瓷碗·宋代

中国古代类汝似钧釉青瓷腹部种类繁多，常见的主要有鼓腹、折腹、弧腹、深腹、敞腹、曲腹、坦腹、斜腹、圆腹、直腹等（图 4-22）。从数量上看，不同的腹部造型在数量上有一定的比例特征；从形制上看，类汝似钧釉青瓷腹部形制归根结底是一个视觉上的概念，简洁明快快；从器形上看，不同的器物造型有着其特有的腹部选择，如盒的腹部多数选择直腹。

中国古代类汝似钧釉青瓷在底部种类特征上比较简单，主要以平底为主，圜底为辅。

中国古代类汝似钧釉青瓷足部造型比较复杂，常见的主要有圈足、饼足、尖状足、乳足、山字形足、兽足、蹄形足、卧足、玉璧足等，而且衍生性造型丰富，如圈足就可以衍生成暗圈足、薄圈足、敛圈足、小圈足、斜直圈足、窄圈足、矮圈足、高圈足、瓜棱状圈足、环状圈足、假圈足、宽圈足、喇叭状圈足等（图 4-23）。由此可见，类汝似钧釉青瓷在足部造型的种类上是百花齐放。从数量上看，以圈足为主要特征。在功能上，陈设和装饰与实用的功能融为一体，鉴定时应注意分辨。

图 4-23 圈足的类汝似钧釉青瓷碗·元代

第五章　青白瓷

第一节　综　述

中国古代青瓷的又一创举是在宋代景德镇窑烧造出了著名的青白瓷（图 5-1）。"青白瓷在宋元时期急剧发展，成为瓷器中的重要品类之一……青白瓷上多数有纹饰，而且有些纹饰相当细腻、繁缛，但纹饰题材主要还是以刻划纹为主，特别是以花卉、虫鱼为多，纹饰多刻划细腻，线条流畅，挥洒自如"（姚江波，2009）。景德镇窑是中国宋元时期最著名的窑场之一，窑址位于今天的景德镇。景德镇古窑场的烧造，实际上在唐代就已经开始，发现的窑口较著名的有湖田窑、南市窑、杨梅亭、石虎湾等地。景德镇窑在五代时期主要烧制的是青瓷和白瓷，也许是处于著名的邢窑和定窑的阴影之下，景德镇窑在当时举步为艰，可以说是在夹缝中求生存。

图 5-1　外撇口青白瓷执壶·宋代

景德镇窑鉴于当时的情况对瓷器的烧造进行了创新，开创性地将青瓷和白瓷的釉色结合起来，发明了青白瓷，从此开创了青白瓷的先河。青白瓷就是一种青中有白，白中有青，介于青瓷和白瓷之间的瓷器，真是犹如梦幻般的神奇。景德镇窑将原来人们认为没有可能的事情变成了现实。经五代入宋后景德镇窑将青白瓷创烧成功，从此青白瓷就成为景德镇窑在宋元时期的主打产品。青白瓷结合了青瓷和白瓷的诸多的优点烧制而成，迎合了青瓷和白瓷两个消费群体的需求，获得人们的极大认可。北宋至元代，乃至明清，青白瓷鼎盛不衰，器物造型几乎囊括了所有人们的日常生活用品（图5-2），其影响相当深远。在同时期，除了景德镇窑烧造外，江西、福建、安徽、湖北、湖南、广东等诸多省份都有烧造青白瓷的窑场，形成了一个规模庞大的景德镇窑系。较为著名的有厦门的同安窑、广东的潮安窑、福建的德化窑等。景德镇窑系的影响特别巨大，时间相当深远，可以说直到今天，我们依然受到景德镇窑的巨大影响。

图 5-2　造型隽永的景德镇窑青白瓷盏·元代

第二节　鉴定要点

1. 从造型上鉴定

宋元时期景德镇窑将青白瓷发展到了极致，其造型多为日常生活用品（图5-3），不过造型的规模有所扩大。宋代青白瓷在造型上的特点是以轻巧为主，这一点基本上和其他的窑场相类似；到了元代，青白瓷的造型也随着时代有所变化，由轻巧变得厚重起来，器形看起来也十分笨重。

2. 从胎体上鉴定

宋元时期青白瓷的胎体多为白胎，致密、坚硬（图5-4）。我们来看江苏镇江市环城东路宋代遗存的一则实例："碗1件（T1⑤：24）。残存底部，白胎，质致密，青白釉圈足。足径6.3、残高4.9厘米"。由此可见，宋代瓷器的胎体确实是较为精致，不过在宋代也有一些瓷器的胎体看起来是白中发灰，我们来看福建福鼎市太姥山宋代国兴寺遗址的一则实例："碗T0406③：2，灰黄胎"。看来在宋元时期，也并非是所有的青白瓷胎体都是白色。另外，元代景德镇窑发明了二元配方法，使得青白瓷的胎体更易成型。从此，景德镇窑青白釉瓷器在质量上有了科学的保证。

图5-3　精致的青白瓷茶盏·宋代

图5-4　洁白胎体青白瓷标本·宋代

图 5-6　花卉纹青白瓷枕·宋代

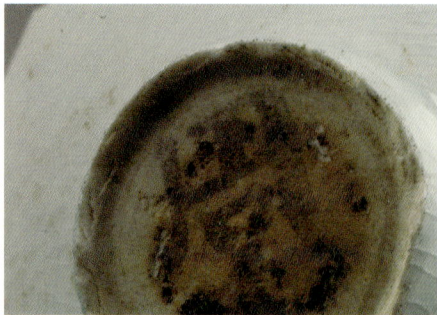

图 5-7　"周"字墨书青白瓷茶盏·宋代

3. 从装饰上鉴定

景德镇窑仍然属于传统青瓷器的范畴，所以，在装饰上依然延续着传统，多是装饰刻划纹（图 5-5），或是在足底和器身书写铭文等，并与釉质结合来进行装饰。我们来看江苏常州市红梅新村宋墓的一则实例："盒Ⅰ式：1 件（M3：5）。圆筒形，盖面平，周边斜弧。盒身敛口，子口，筒形深直腹，矮圈足。盖面饰有褐彩斑点。内外施青白釉，盖内、圈足及外底无釉，露白胎。通高 4.9、口径 4、腹径 5.5、圈足径 3.9 厘米"。由此可见，这件瓷盒只是在盖面上进行了装饰，其余地方仍以青白瓷平铺。这样的瓷器看起来比较清新雅致，可见是对传统瓷器的继承和发展。景德镇窑纹饰的题材多为菊花、荷花、莲花等，看来宋元时期景德镇窑在青白瓷的装饰上依然是传统的延续（图 5-6）。另外，在铭文上，景德镇窑的铭文主要是书写在器底。我们来看福建福鼎市太姥山宋代国兴寺遗址的一则实例："碗 T0406 ③：2，灰黄胎。施青白釉，涩圈。足底墨书"谷兴"二字。T0506 ③：10，灰胎。施青釉。内壁刻划萱草纹，足心墨书"德福"。T0604 ③：1，足底墨书"德福"二字"。这并不是孤立的例子，在很多精致青白瓷盏的底部往往都有墨书写姓氏（图 5-7）。由上可见，景德镇窑书写铭文的现象还很普遍，题材也较多样化。

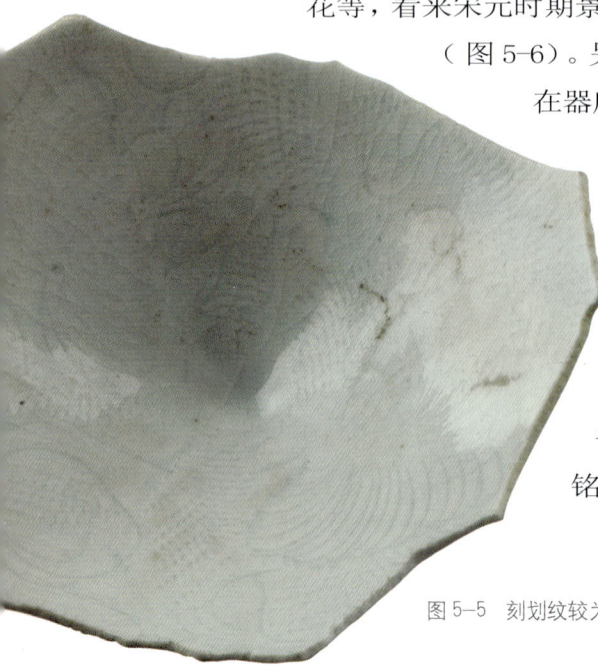

图 5-5　刻划纹较为繁缛的青白瓷盏·宋代

第六章　识市场

第一节　逛市场

一、国有文物商店

　　国有文物商店收藏的青瓷（图6-1、图6-2）具有其他艺术品销售实体所不具备的优势：一是实力雄厚；二是古代青瓷数量较多；三是青瓷鉴定专业人员多；四是在进货渠道上层层把关；五是国有企业集体定价，价格比较适中。国有文物商店是我们购买青瓷的好去处。基本上每一个省都有国有的文物商店，布局较为合理。下面我们具体来看表6-1。

图6-1　青瓷标本·元代

表6-1 国有文物商店青瓷品质状况

	时代	窑口	数量	品质	体积	检测
青瓷	东汉晚期	上虞窑	多见	普／粗	大小兼备	通常无	
	六朝	越窑	多见	精／普	大小兼备	通常无	国有文物商店
	隋唐五代	越窑	多见	精／普	大小兼备	通常无	
	宋代	汝窑	少见	精	大小兼备	通常无	
	宋元明清	龙泉窑系	多见	精／普／粗	大小兼备	通常无	

图6-2 青瓷壶·六朝

图 6-3 类汝似钧釉青瓷标本·宋代

从时代上看，国有文物商店古代青瓷有见（图6-3），东汉晚期、六朝时期、隋唐五代时期、宋元时期、明清时期都有见，但这要取决于地域特征。特别是早期，瓷器地域性特征特别强，如东汉晚期的上虞窑的产品，在宁波或者浙江的文物商店内比较容易找到，而在其他的地方很难找，如甘肃古玩城、河南文物交流中心等都不是太多，因此地域性特征很重要。青瓷最早产生于东汉晚期，直至明清，是老百姓日常生活当中的用具（图6-4）。

图 6-4 龙泉窑青瓷碗·宋代

图 6-5　青黄釉瓷执壶（三维复原色彩图）·南朝

　　从窑系上看，青瓷窑口特征异常复杂。东汉晚期主要以形成青瓷的上虞窑为主，而到了六朝时期形成了著名的越窑。越窑生产的青瓷已经是达到了相当高的水平（图 6-5），以至于同时期的婺州窑、瓯窑等都处于越窑青瓷的巨大阴影之下。进入隋唐五代之后，越窑依然强大，但越窑拒绝改变风格，这造成了北方瓷窑的裂变。隋代北方地区白瓷烧造成功，受到人们的喜爱。唐代白瓷在北方地区继续发展，我们知道形成了著名的邢窑，已经可以和南方地区传统的青瓷相媲美，最终导致了唐代"南青北白"瓷业格局的形成（图 6-6）。实际上，越窑在唐代的影响力已经远不如六朝时期。

图 6-6　刻划花卉纹青黄釉瓷盏标本·唐代

　　宋代是中国瓷业的鼎盛时代，当时中国的瓷业的天平已经开始倾斜（图6-7），主要是像中原地区倾斜。如宋徽宗开创了自己最爱的汝窑，汝窑的烧造虽然只有短暂的 15 年时间（图6-8），但却将青瓷的烧造达致巅峰状态。当然，青瓷在宋代的发展并不仅仅是汝窑的烧造成功，而是产生了以往时代无以伦比的众多瓷窑及系统，如官窑、钧窑、耀州窑、龙泉窑等都是当时著名的烧造青瓷系列产品的窑场，在宋代影响极大（图6-9）。

图 6-8　类汝釉青瓷标本 · 宋代

图 6-9　龙泉窑鱼纹碟（三维复原色彩图）· 南宋

图 6-7 薄釉青瓷标本 · 宋代

图 6-10 对称性较强的花卉纹青瓷标本·宋代

元明清时期，中国古代青瓷实际上进入了一个比较尴尬的境地。我们知道，景德镇窑的兴起，特别是青花瓷的烧制成功，将传统的青瓷、白瓷排挤出主流的市场之外（图 6-10）。但客观地讲，在元代中国古代青瓷的势头犹如强弩之末，数量依然是非常庞大。如龙泉窑在南方的影响依然是很大，耀州窑在北方地区也是有影响的。但进入明代之后，青瓷在青花瓷普遍使用后再也没有能够辉煌。不过青瓷并没有消亡，在中国广大的乡村烧制青瓷的小窑场依然存在，只是影响力极为微弱了，与青花瓷不能相提并论。而文物商店内，各个窑口的产品基本上都齐全（图 6-11）。

图 6-11 系之间饰弦纹的青瓷壶·汉代

图 6-12　青白瓷枕·宋代

　　从品质上看，中国古代青瓷在品质上主要是以窑口为显著特征。官窑生产的青瓷以精致器为主，如汝窑瓷器基本上没有普通和粗糙的青瓷。而民窑瓷器则是精致、普通、粗糙者都有见（图 6-12）。如耀州窑、龙泉窑、钧窑等都是这样。当然，反映到国有文物商店销售的产品上也是这样。从体积上看，国有文物商店内销售的中国古代瓷器在体积上大小不一，这与其日常生活用具的功能有关（图 6-13）。

　　从检测上看，各个时代的青瓷通常都没有什么检测证书，对于瓷器的行规就是凭借自己的眼力，因此把玩鉴定要点是关键。不过国有文物商店内的青瓷伪器很少，因为这事关国有文物商店的信誉和鉴定能力问题。

图 6-13　流釉过程明显的六头鸟纹青瓷壶·汉代

二、大中型古玩市场

大、中型古玩市场是青瓷销售的主战场（图 6-14），如北京的琉璃厂、潘家园等，以及郑州古玩城、兰州古玩城、武汉古玩城等都属于比较大的古玩市场，集中了很多青瓷销售商，像报国寺只能算作是中型的古玩市场。下面我们具体来看表 6-2。

表 6-2 大中型古玩市场青瓷品质状况

	时代	窑口	数量	品质	体积	检测	
青瓷	东汉晚期	上虞窑	多见	普／粗	大小兼备	通常无	大中型古玩市场
	六朝	越窑	多见	精／普	大小兼备	通常无	
	隋唐五代	越窑	多见	精／普	大小兼备	通常无	
	宋代	汝窑	少见	精	大小兼备	通常无	
	宋元明清	龙泉窑系	多见	精／普／粗	大小兼备	通常无	

图 6-14　稀薄釉六头鸟纹青瓷壶·汉代

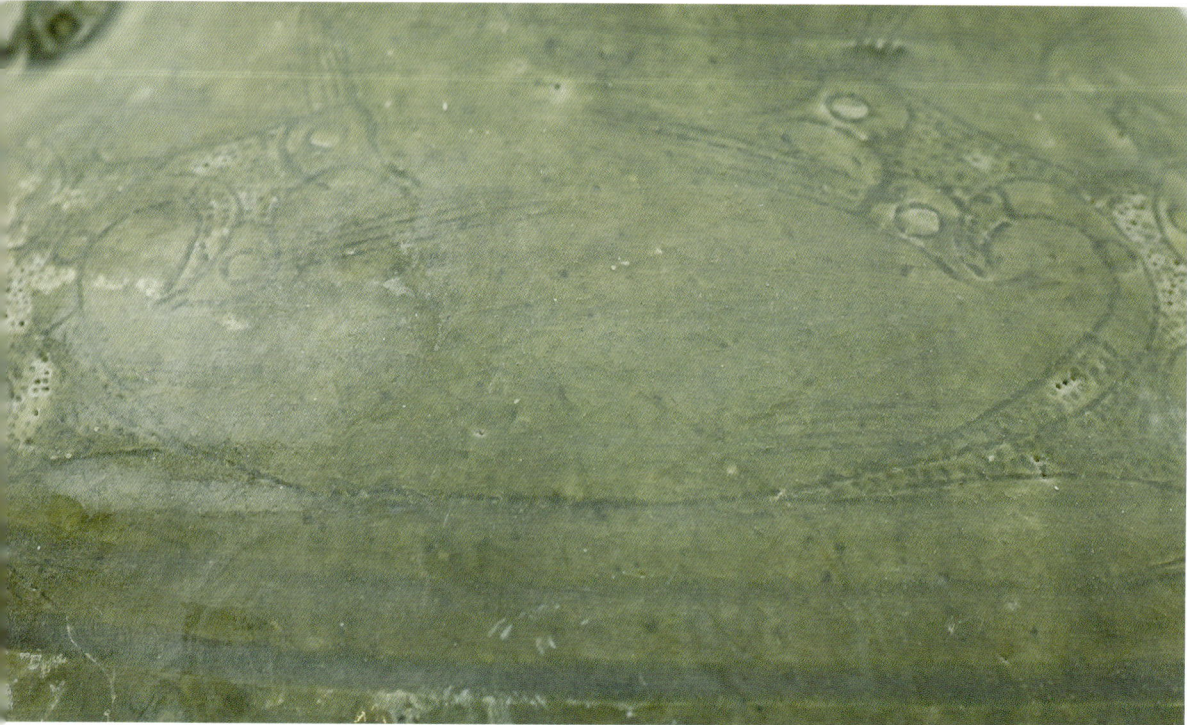

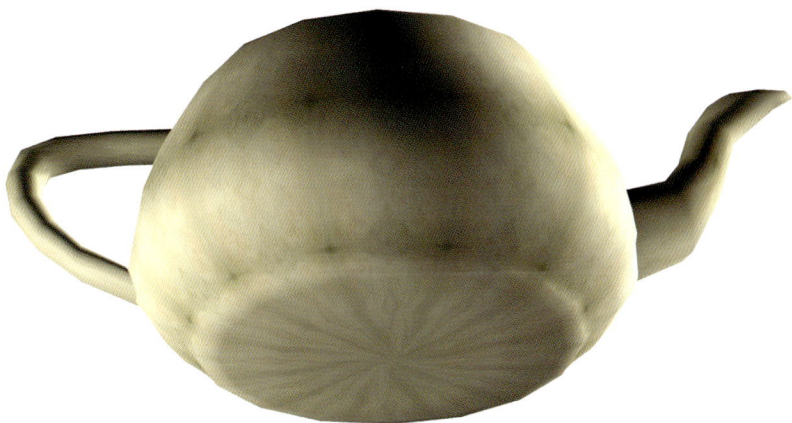

图 6-15 汝瓷天青釉色壶（三维复原色彩图）·宋代

从时代上看，大中型古玩市场上的青瓷（图 6-15），东汉晚期、六朝、隋唐五代、宋元、明清各个时代都有见（图 6-16）。

从窑口上看，大中型古玩市场的青瓷在窑口上并不复杂，各个窑口都有见。但我们要注意到窑口的性质，如汝窑、官窑瓷器在当时老百姓手中都不可能拥有，烧造非常少，而且都是传承有序，多数是宫廷秘藏，民间很少，所以在大中型古玩市场出现的可能性不是很大（图 6-17）。

图 6-16 汝窑瓷瓶·当代仿宋

图 6-17 青瓷盘·清代

图6-18 平折沿青瓷罐·宋代

　　从数量上看，东汉晚期、六朝、隋唐五代、宋元、明清时期的青瓷在大中型古玩市场内十分常见，如在潘家园市场上到处都是，几百家销售的都有（图6-18），人头攒动，非常热闹。同时我们也注意到在这些市场上有一些珍品的数量很多，如汝窑瓷器可能在潘家园市场上有成千上万件。但我们知道，真正的汝窑瓷器在全世界的收藏也不过几十件（图6-19），所以从数量看，通过概率的换算，我们就可以知道市场上的汝窑瓷器基本上都应该是伪器（图6-20）。

图6-19 汝窑瓷瓶·当代仿宋

图6-20 汝窑瓷瓶·当代仿宋

从品质上看，不同时期的青瓷在品质上不同。如东汉晚期的青瓷在品质上由于刚刚烧制成功，所以整体上不太好，容易剥釉等。宋代青瓷普遍比较好，起码釉质不会剥落（图6-21）。再者青瓷的品质还与官窑和民窑的性质有关。如具有官窑性质的钧瓷和普通的民窑钧瓷就有很大区别，官窑基本上都是精美绝伦之器，钧瓷民窑则是精致、普通、粗糙者都有见（图6-22）。

图6-21 品相较优青的白瓷枕·宋代

图6-22 钧窑青瓷盘·宋代

图 6-23 龙泉窑青瓷碗·宋代

从体积上看，大中型市场内各个时代的青瓷在体积上特征上比较明确，大小兼备（图 6-23）。

从检测上看，各个时代的青瓷基本上没有经过专家检测，需要自己判断真伪（图 6-24）。

图 6-24 白釉泛青瓷盒·唐代

三、自发形成的古玩市场

这类市场三五户成群，大一点几十户。这类市场不很稳定（图6-25），有时不停地换地方，但却是我们购买青瓷的好地方，我们具体来看表6-3。

表 6-3 自发形成的古玩市场青瓷品质状况

	时代	窑口	数量	品质	体积	检测	
青瓷	东汉晚期	上虞窑	多见	普／粗	大小兼备	通常无	自发形成的古玩市场
	六朝	越窑	多见	精／普	大小兼备	通常无	
	隋唐五代	越窑	多见	精／普／粗	大小兼备	通常无	
	宋代	汝窑	多见	精	大小兼备	通常无	
	宋元明清	龙泉窑系	多见	精／普／粗	大小兼备	通常无	

图6-25 "香灰胎"汝窑瓷器标本·宋代

图 6-26 弦纹青瓷壶·汉代

图 6-27 艺术价值极高的青白瓷枕·宋代

由表 6-3 可见，从时代上看，自发形成的古玩市场上的青瓷各个时代都有见（图 6-26），但真伪难辨，想要淘宝需要具有很高的水平。从窑口上看，自发形成的古玩市场上的青瓷在窑口特征上也是比较明确，基本上各个时代著名的窑口都有见（图 6-27），如越窑、瓯窑、婺州窑、汝窑、官窑、钧窑、耀州窑、龙泉窑等都有见（图 6-28），其真伪值得深思。如汝窑瓷器在自发形成的古玩市场上真品的可能性几乎是零。

图 6-28 钧窑青瓷碗·元代

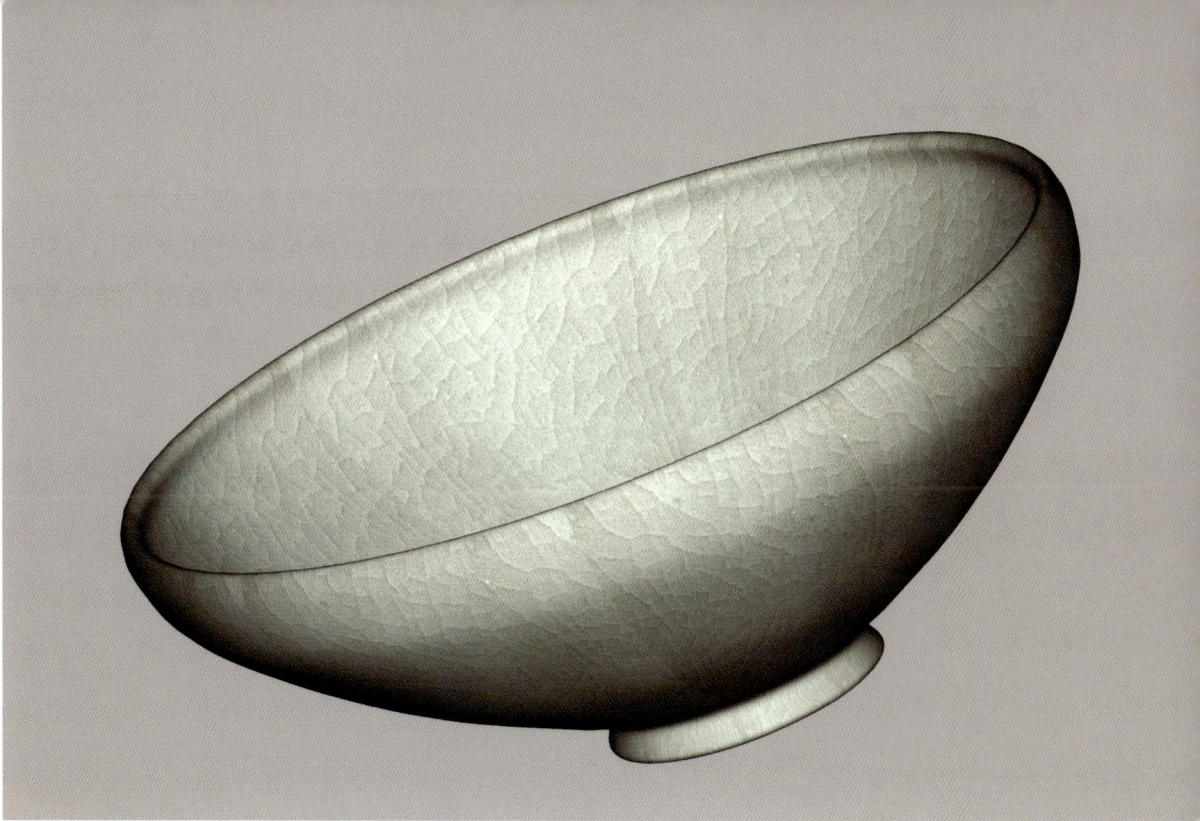

图6-29 汝窑天青釉色碗（三维复原图）·宋代

　　从数量上看，中国古代青瓷在自发形成的古玩市场上数量很庞大，是销售的主流产品之一（图6-29）。官窑与民窑的产品都有见，官窑基本上为伪器，民窑瓷器当中倒是有可能淘到真品。因为都是过去老百姓使用的产品，产量非常大，有可能会有一些瓷器跨越时空来到我们今天（图6-30）。

图6-30 精致民窑青瓷标本·宋代

从品质上看，自发形成的古玩市场上出现的青瓷在品质上精致、普通、粗糙者都有见。从体积上看，各个时代的青瓷由于是人们日常生活用具，所以大小兼备（图6-31）。

从检测上看，这类自发形成的小市场上的瓷器多数没有经过专家长眼，基本上靠自己的鉴赏能力（图6-32）。

图6-31　景德镇窑青白瓷盏·元代

图6-32　喇叭口青白瓷瓶·宋代

四、网上淘宝

网上淘宝近些年来成为时尚，同样网上也可以购买青瓷（图 6-33）。上网搜索会出现许多销售青瓷的网站，下面我们来具体看一下表6-4。

表6-4 网上淘宝青瓷品质状况

	时代	窑口	数量	品质	体积	检测	
青瓷	东汉晚期	上虞窑	多见	普／粗	大小兼备	通常无	网上淘宝
	六朝	越窑	多见	精／普／粗	大小兼备	通常无	
	隋唐五代	越窑	多见	精／普／粗	大小兼备	通常无	
	宋代	汝窑	多见	精	大小兼备	通常无	
	宋元明清	龙泉窑系	多见	精／普／粗	大小兼备	通常无	

图6-33 青白瓷枕·宋代

图 6-34　汝瓷洗·当代仿宋

　　由表 6-4 可见，从时代上看，网上淘宝可以通过搜索找到很多青瓷器，各个时代的都有（图 6-34），从东汉晚期直至明清时期都可以买到，但就是看不到实物，仅从照片上看不太靠谱。不能说网上没有真品（图 6-35），但是应该是非常之少，因为可以试想一下，网络销售的大量古代珍贵瓷器的货源从哪里来呢？所以不反对从网上淘宝，简单快捷，但应慎重，因为真伪的确是一个大问题（图 6-36）。

图 6-35　类汝似钧釉青瓷标本·宋代

图 6-36　汝窑瓷盘·当代仿宋

从窑口上看，网络上的青瓷在窑口上比较齐全，各个时代的名窑都有见，而且都是各个窑口的典型器，但真伪问题需要仔细甄别（图 6-37）。

从数量上看，不同时代的青瓷在数量上相当，比较多见，这与其日用品的功能有关。

从品质上看，东汉晚期、六朝时期、隋唐五代时期、宋元时期、明清时期的青瓷器在品质上除了东汉晚期外，都有精致、普通、粗糙之分（图 6-38）。相对而言，唐宋时期精品较多，其他时代在精致程度上有限。

从体积上看，青瓷器在大小上特征不是很明确，大小兼备（图 6-39）。

从检测上看，网上淘宝而来的青瓷器真伪难辨，完全依靠自己的鉴赏水平。

图 6-37 青瓷标本·宋代

图 6-38 耀州窑花卉纹青瓷标本·宋代

图 6-39 天青釉官窑瓷碟
（三维复原色彩图）·宋代

五、拍卖行

青瓷拍卖是拍卖行传统的业务之一（图6-40），是我们淘宝的好地方。具体我们来看表6-5。

表6-5 拍卖行青瓷品质状况

	时代	窑口	数量	品质	体积	检测	
青瓷	东汉晚期	上虞窑	多见	普／粗	大小兼备	通常无	拍卖行
	六朝	越窑	多见	精	大小兼备	通常无	
	隋唐五代	越窑	多见	精	大小兼备	通常无	
	宋代	汝窑	少见	精	大小兼备	通常无	
	宋元明清	龙泉窑系	多见	精	大小兼备	通常无	

图6-40 青瓷盘·清代

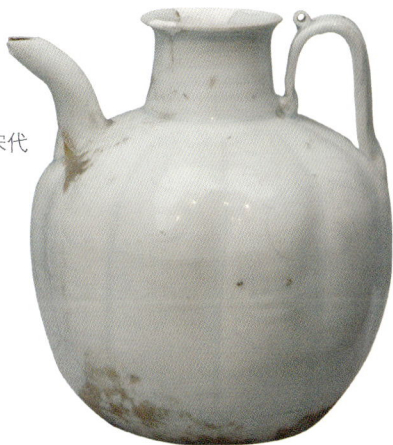

图6-41　瓜棱腹青白瓷执壶·宋代

由表6-5可见，从时代上看，拍卖行拍卖的青瓷各个历史时期的都有见（图6-41），其中青瓷以精品为主。

从窑口上看，拍卖市场上的青瓷窑口十分清楚，各大窑口的瓷器都有见，包括著名的汝窑瓷器都有拍卖，且价格都是天价，而且数量很少，不是说有钱就可以买到的（图6-42）。民窑青瓷多数也都是精品力作，普通和粗糙器皿很少见。

图6-42　官窑瓷香炉·当代仿宋

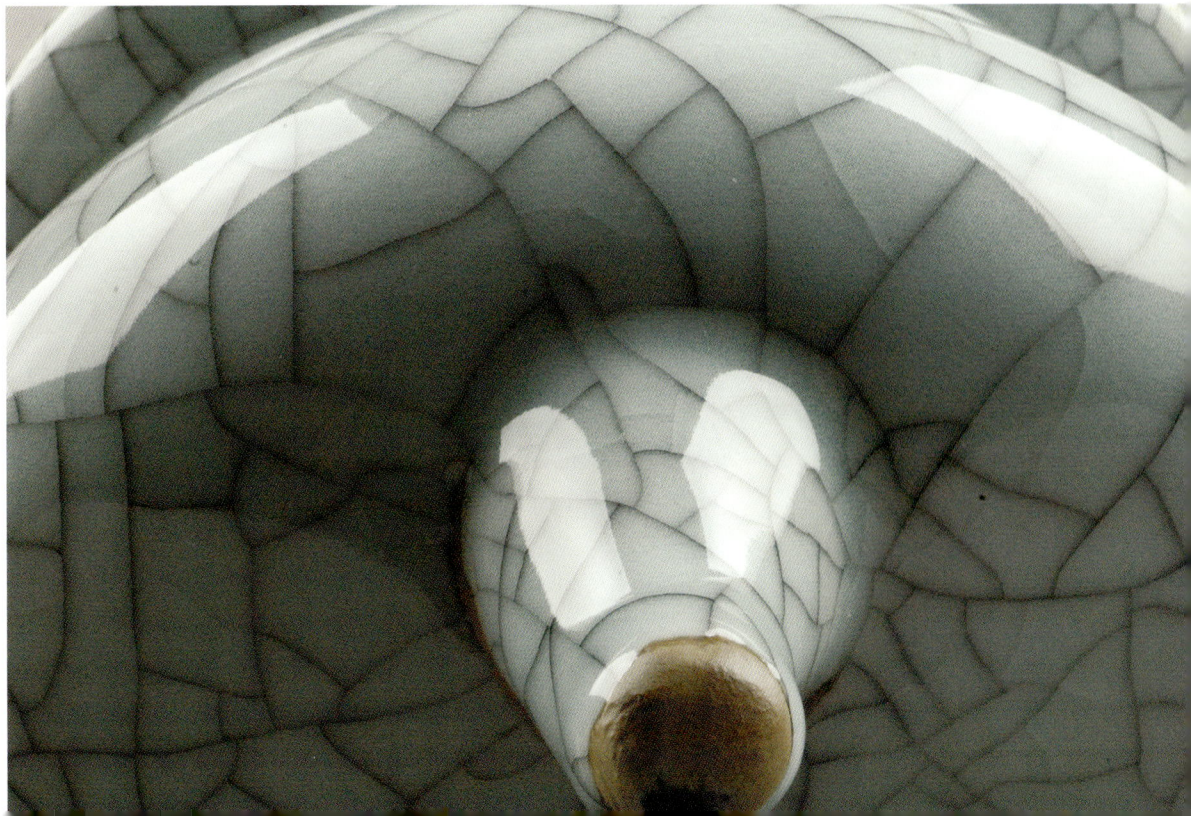

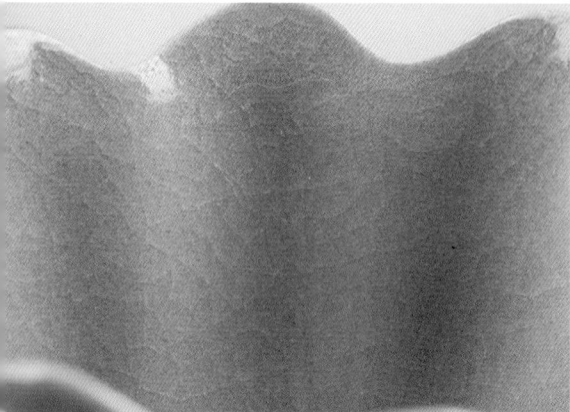

图6-43 较薄唇极具装饰性的天青釉莲花式温
碗·当代仿宋

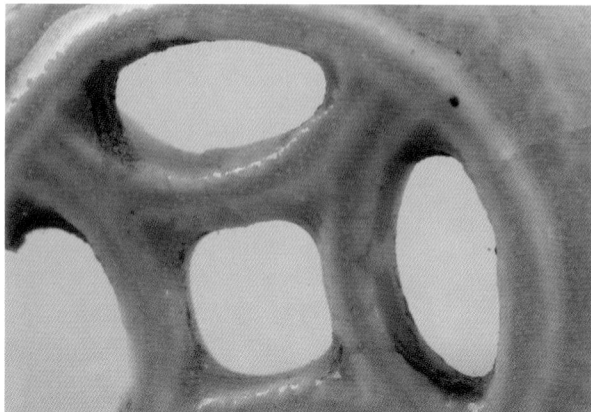

图6-44 精美绝伦的青白瓷镂空窗饰·宋代

从数量上看，古代青瓷器拍卖从数量上比较多见，是瓷器拍卖中的主流，各个时期、各个窑口的青瓷都有一定的量，但真伪并不保证，完全需要我们自己来判定（图6-43）。

从品质上看，拍卖行的中国古代青瓷器在精致程度上可谓是以精致为主，这与拍卖行的性质有关，价值很低的青瓷器由于佣金很少，拍卖行几乎无利可图，所以基本上很少拍。

从体积上看，青瓷器在拍卖行出现的大小较为多样化，可谓是大小兼备（图6-44）。

从检测上看，拍卖场上的青瓷器主要以买家的鉴赏能力为判断标准，拍卖行只是一个平台。

六、典当行

典当行也是购买青瓷器的好去处，典当行的特点是对来货把关比较严格（图6-45），一般都是死当的青瓷器才会被用来销售。具体我们来看表6-6。

表6-6 典当行青瓷品质状况

	时代	窑口	数量	品质	体积	检测	
青瓷	东汉晚期	上虞窑	多见	普/粗	大小兼备	通常无	典当行
	六朝	越窑	多见	精	大小兼备	通常无	
	隋唐五代	越窑	多见	精	大小兼备	通常无	
	宋代	汝窑	多见	精	大小兼备	通常无	
	宋元明清	龙泉窑系	多见	精/普/粗	大小兼备	通常无	

图6-45 青瓷标本·宋代

图 6-46 青黄釉青瓷罐·六朝

　　由表6-6可见，从时代上看，典当行的青瓷器东汉晚期、六朝时期、隋唐五代、宋元时期、明清时期多有见（图6-46）。从窑口上看，典当行的青瓷在窑口特征上不是很明确，可以说各个窑口的都有见（图6-47），但官窑瓷器很少见，如汝窑、官窑等，因为毕竟来源是一个问题。主要以民窑瓷器为主，如越窑、耀州窑、龙泉窑等多见（图6-48）。

　　从品质上看，典当行内的青瓷精致者有见，普通和粗糙者也有见，但价格也是高低错落有致（图6-49）。

　　从体积上看，典当行内的青瓷在体积上特征并不明确，大小兼具（图6-50）。

　　从检测上看，典当行内的青瓷制品一般没有检测证书，品级高低和真伪完全取决于购买者的鉴赏水平。

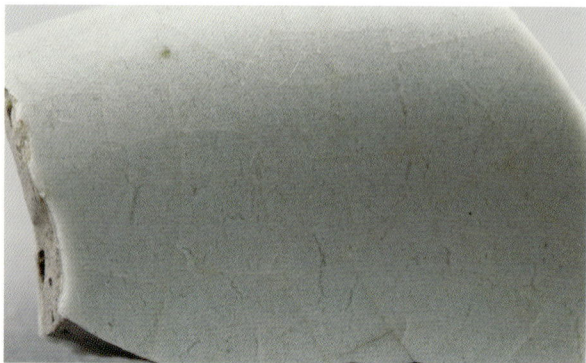

图 6-47 类汝似钧釉青瓷标本·宋代

图 6-48　小口青瓷瓶·辽代

图 6-49　严重流釉的六头鸟青瓷壶·汉代

图 6-50　青瓷标本·宋代

第二节　评价格

一、市场参考价

　　青瓷在价格上升值很快（图 6-51），不过青瓷器的价格与窑口以及窑口的性质关系密切。普通的古代青瓷，如龙泉窑、耀州窑青瓷在价格上不过是从数年前的几十元攀升至今日的数万元而已（图6-52）。这与青瓷都是人们日常生活当中的日用器，如碗、盘、碟、盆、罐等数量最多，其中以碗的数量最常见，民窑气息也是比较浓郁有关。但官窑体系的青瓷在价格上可谓是一路所向披靡，青云直上九重天（图 6-53）。如汝窑瓷器由 30 年前数十万到现在动辄都是几个亿，可见其价格增长的速度之快。就连河南宝丰清凉寺的瓷片，在价格上优者也是需要几十万（图 6-54），可见人们对其的确是趋之若鹜，这是其不断升值的重要原因。但大多数青瓷在价格上总体还不是特别高，目前应该是利于收藏的。

图 6-51　耀州窑青瓷标本·宋代

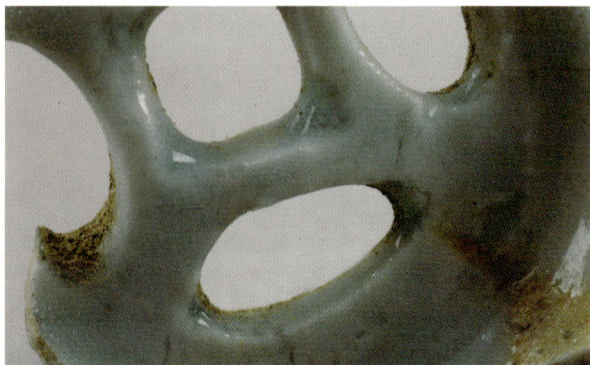

图 6-52　造型隽永的青白瓷镂空窗饰·宋代

图 6-53　芝麻钉痕迹汝瓷洗·当代仿宋

图 6-54　"香灰胎"汝窑瓷器标本·宋代

　　青瓷的参考价格也比较复杂。下面让我们来看一下青瓷主要的价格。但是，这个价格只是一个参考，因为本书介绍的价格是已经抽象过的价格（图 6-55），是研究用的价格，实际上已经隐去了该行业的商业机密，如有雷同，纯属巧合，仅仅是给读者一个参考而已。

　　宋　官窑贯耳瓶：16000000 ～ 26000000 元。

　　南　宋龙泉窑仿官窑直颈瓶：1600000 ～ 1800000 元。

　　宋　天青釉琮式瓶：6600000 ～ 6800000 元。

　　宋　汝窑双耳尊：16000000 ～ 26000000 元。

图 6-55 青白瓷盏·元代

宋 汝窑三足洗：28000000 ～ 42000000 元。

晋 青瓷鸡首壶：9000 ～ 15000 元。

晋 青瓷熊柱灯：8000 ～ 9000 元。

晋 青瓷兽首洗：25000 ～ 35000 元。

晋 青瓷蛙形水盂：40000 ～ 60000 元。

晋 青瓷水注：16000 ～ 26000 元。

东晋 青瓷小罐：3000 ～ 6000 元。

南北朝 青瓷砚：6000 ～ 8000 元。

宋 影青执壶：2600000 ～ 2800000 元。

南宋 青瓷香炉：220000 ～ 280000 元。

南宋 青瓷碗：20000 ～ 30000 元。

元 青瓷罐：3000 ～ 6000 元。

元 龙泉窑青瓷水注：90000 ～ 180000 元。

元 耀州窑青瓷盏：45000 ～ 65000 元。

元 耀州窑青瓷斗笠碗：70000 ～ 90000 元。

元 耀州窑青瓷碗：600000 ～ 900000 元。

元 龙泉窑青瓷碗：120000 ～ 180000 元。

元 龙泉窑玉壶春瓶：90000 ～ 180000 元。

元 龙泉窑青瓷炉：40000 ～ 60000 元。

明 龙泉窑青瓷香插：4000 ～ 6000 元。

明 青瓷卧兽碗：9000 ～ 13000 元。

明 青瓷刻莲花碗：40000 ～ 60000 元。

明 影青印：30000 ～ 50000 元。

明 龙泉窑青瓷炉：70000 ～ 90000 元。

明 龙泉窑青瓷尊：30000 ～ 90000 元。

明 龙泉窑青瓷梅瓶：40000 ～ 60000 元。

明 龙泉窑青釉碗：600000 ～ 800000 元。

明 龙泉窑青瓷花觚：90000 ～ 160000 元。

清 青瓷香炉：4000 ～ 6000 元。

图 6-57 淘洗精炼的青瓷标本·元末

二、砍价技巧

砍价是一种技巧，但并不是根本性商业活动（图6-56），它的目的就是与对方讨价还价，找到对自己最有利的因素。但从根本上讲，砍价只是一种技巧（图6-57），理论上只能将虚高的价格谈下来，但当接近成本时显然是无法真正砍价的。所以，忽略青瓷品种的砍价并不可取（图6-58）。

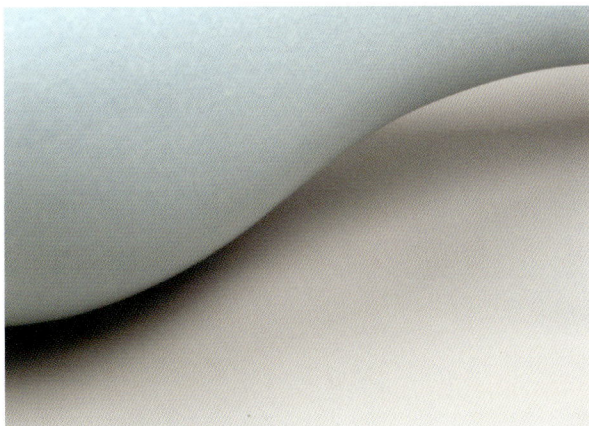

图 6-56 手感细腻的汝窑瓷瓶·当代仿宋

图 6-58 芝麻钉痕汝窑瓷器标本·宋代

图 6-59 汝窑瓷瓶·宋代

通常，青瓷的砍价主要有这样几个方面：

（1）品相。青瓷在经历了岁月长河之后，大多数已经残缺不全，特别是早期青瓷。如东汉晚期的青瓷更是这样，还有遗址之上的青瓷破损的情况也比较严重，即使名瓷也不能幸免。汝瓷完好无损者世界上只有几十件（图6-59），而窑址上在当时就被打碎的残瓷则是成千上万（图6-60），所以完残自然也就成为了砍价的利器。

（2）釉色。青瓷的釉色是最令人称道的了（图6-61），如汝窑青瓷几乎将天青釉烧造至极致，再没有一个窑场可以与汝瓷天青釉相媲美，而这也恰是其价格昂贵的重要因素之一。一些仿汝釉的瓷器往往在天青釉上出现败笔，这是其价格与汝窑相差千万倍原因，同时也是砍价的重要依据。因此，如果能够找到确凿的证据，则会在价格谈判上占尽先机。

图 6-60 "香灰胎"汝窑瓷器标本·宋代

图 6-61 天青釉"蟹爪纹"汝窑瓷器标本·宋代

（3）精致程度。青瓷的精致程度可以分为精致、普通、粗瓷等（图6-62），那么其价格自然也就是参差不同。所以，将自己要购买的青瓷归类，这是砍价的基础（图6-63）。

图 6-63　青瓷粉青标本·宋代

图 6-62　类汝似钧釉青瓷标本·宋代

图 6-64 类汝似钧釉青瓷标本·宋代

　　总之，青瓷的砍价技巧涉及时代、造型、窑口、釉色、胎色、胎质、匀净程度等诸多方面（图6-64），从中找出缺陷，必将成为砍价利器（图6-65）。

图 6-65 青瓷标本·宋代

图 6-67 青瓷标本·宋代

第三节　懂保养

一、清　洗

　　清洗是很多人收藏到青瓷之后要进行的一项工作（图 6-66），目的就是要把瓷器表面及其断裂面的灰土和污垢清除干净。

　　在清洗过程中，要保护青瓷不受到伤害。首先，观察青瓷胎釉结合情况，没有剥釉现象的，可以采用直接入水法来进行清洗。但不要将青瓷直接放到自来水中清洗（图 6-67），自来水中的多种有害物质会使瓷器釉面受到伤害。通常，应将其放入纯净水中进行清洗。当然，除了个别早期青瓷会出现胎釉剥离的现象外，在化妆土得到普遍使用后，青瓷很少出现胎釉剥离问题。所以基本都可以放入纯净水中清洗（图 6-68），待到土蚀完全溶解后，再用棉球将其擦拭干净。

图 6-66　喇叭口青瓷盏·宋代

图 6-68　类汝似钧釉青瓷标本·宋代

　　遇到未除干净的瓷器，可以用牛角刀进行试探性的剔除，如果还未洗净（图 6-69），请送交文物专业修复机构进行处理，千万不可强行械剔，以免伤及釉面，这一点我们在收藏时一定要注意。

图 6-69　耀州窑青瓷标本·宋代

图 6-70 类汝似钧釉青瓷标本·宋代

二、修 复

历经沧桑风雨，大多数青瓷需要修复。如果只是一点小的磨伤等，调色上色就可以了（图 6-70）；如果有大的残缺，主要包括拼接和配补两部分。

拼接就是用黏合剂把破碎的青瓷片重新黏合起来。拼接工作十分复杂，有时想把它们重新黏合起来十分困难，一般情况下主要是根据共同点进行组合（图 6-71）。如根据碎片的形状、釉色等特点，逐块进行拼对，最好再进行调整。

图 6-71 天青釉汝窑瓷瓶（局部）·当代仿宋

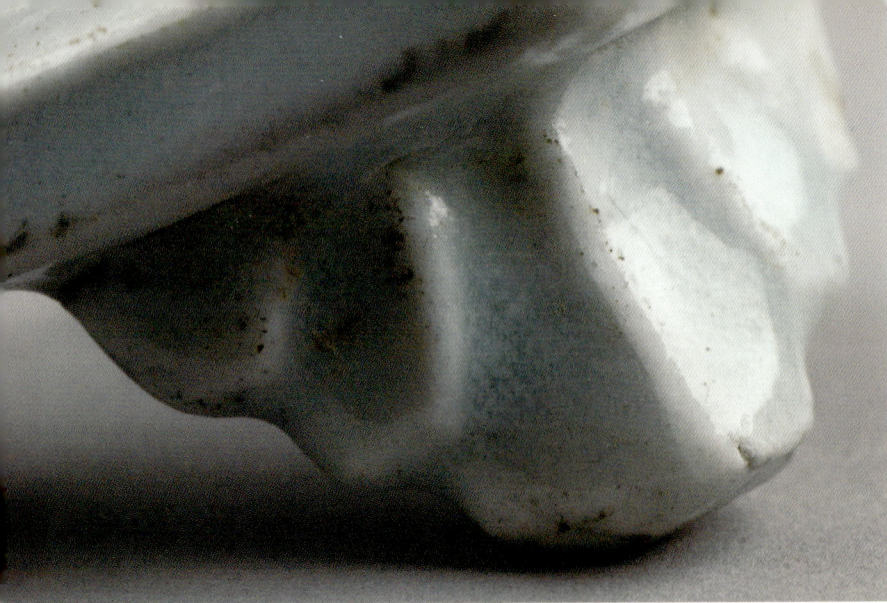

图6-73 青白釉瓷支足·宋代

配补是研究修复的最后一个步骤（图6-72），如有底有口沿的青瓷碗都可以通过配补将其复原，就是把损坏不存在的部位，恢复到原来的形状（图6-73）。配补的方法很多，主要有填补、模补。一般情况下，残缺面积很小的部位，直接拿一块麻布进行填补后进行修整就可以了；残损比较严重时就必须进行模补修整。经过配补而形成的青瓷，表面非常粗糙（图6-74），可以说是坑凹不平，因此就需要对修补材料，特别是用石膏进行修补的表面进行修整。经过修整后的石膏面基本平整，之后再用木砂纸等进行打磨（图6-75），这样整个修复过程才可以说是完成了。

图6-72 钧窑青瓷盘·宋代

图 6-75　白中泛青釉瓷盒·唐代

图 6-74　青瓷花卉碗·宋代

图 6-77　耀州窑青瓷·宋代

三、养 护

1. 加 固

有相当一部分青瓷是用石膏修复的，而石膏的机械强度极低，很容易破碎，所以需要对石膏进行加固，使石膏的强度增大，质地坚硬（图 6-76）。具体操作方法是把环氧树脂混合液同乙醇按 1∶1 的比例混合后，用毛笔均匀地涂敷在石膏面上，利用乙醇把强度极大的永久性黏合剂环氧树脂混合液带进石膏内，这时的石膏就会变得异常坚硬，不易破碎。但这种加固并不是一劳永逸的，而是需要过一段时间后就要进行一次，不然就有可能就会裂开（图 6-77）。

2. 相对温度

青瓷的保养，室内温度很重要，特别是对于经过修复复原的青瓷，温度尤为重要。因为一般情况下黏合剂都有其温度的最好界限，如果超出，

图 6-76　有轻微裂缝的青瓷盘·清代

图 6-78 耀州窑青瓷罐·宋代

就很容易出现黏合不紧密的现象。如热溶胶的溶解温度在 55℃左右（图 6-78），如果高出这个温度，可能就要出问题。但一般情况下都不会高出这个温度，我们在保存时注意就可以了。

3. 相对湿度

青瓷在相对湿度上一般应保持在 50% 左右（图 6-79），如果相对湿度过大，一些受过伤的胎体就会受到水的侵袭，水会沿着哪怕是再微小的裂缝进入到色釉瓷体内，当温度下降至 0℃以下时（图 6-80），就会产生巨大张力，从而导致青瓷破碎。

图 6-79 豆青釉标本·清代

图 6-80 青瓷花卉纹碗·宋代

4.存 放

古代青瓷器皿的存放，要放置在震动小的地方，如工厂、铁道旁等就不适宜长期放置古代青瓷真品（图6-81）。因为，虽然震动不至于立刻使其开裂，但日积月累以防万一。最好就是像文物库房那样，将器物放置在架子上，而不是放置在柜子中，因为柜子开拉门的时候会产生一定的晃动（图6-82）。对于圜底的器物的处理要稳妥，一般情况下要做一个专门的柜子进行放置。总之对于放置，我们应该谨慎。主要以"不晃动""不磕碰"等为基本原则。

图6-81 色彩稳定的青灰釉青瓷罐·宋代

图6-82 景德镇窑青白瓷茶盏·元代

5. 日常维护

第一步是进行测量，对青瓷的长度、高度、厚度等有效数据进行测量。目的很明确，就是对青瓷进行研究，以及防止被盗或是被调换。

第二部是进行拍照，要有正视图、俯视图和侧视图等，给青瓷保留一个完整的影像资料（图 6-83）。

第三步是建卡，青瓷收藏当中很多机构，如博物馆等，通常给青瓷建立卡片。卡片上登记的内容有名称，包括原来的名字和现在的名字，以及规范的名称；其次是年代，就是这件青瓷的制造年代、考古学年代；还有质地、功能、工艺技法、形态特征等的详细文字描述，这样我们就完成了对古青瓷收藏最基本的特征记录。

第四步是建账，机构收藏的青瓷，如博物馆通常在测量、拍照、卡片、包括绘图等完成以后，还需要入国家财产总登记账和分类账两种。一式一份，不能复制，主要内容是将文物编号，有总登记号、名称、年代、质地、数量、尺寸、级别、完残程度以及入藏日期等，总登记账要求有电子和纸质两种，是文物的基本账册。藏品分类账也是由总登记号、分类号、名称、年代、质地等组成，以备查阅。

第五是防止磕碰，青瓷保养时防止磕碰是一项很重要的工作。瓷器容易摔裂，运输需要独立包装，避免碰撞。

第六平时不必清洗，用鸡毛掸子轻掸一下就可以了（图 6-84），掸的手法要经常练习，这是民国时期古玩店学徒的必修课。

图 6-83　青瓷瓶·金代

图 6-84　白中泛青釉瓷盒·唐代

图 6-85　敞口青瓷盏·宋代

第四节　市场趋势

一、价值判断

价值判断就是评价值。一般来讲，应从古瓷器的研究价值、艺术价值、经济价值三方面来判断青瓷的价值（图 6-85、图 6-86）。

图 6-86　有口磕的青瓷盘·清代

图 6-87　龙泉窑鱼纹碟
（三维复原色彩图）·南宋

　　研究价值主要是指在科研上的价值。如汝窑青瓷可以复原宋代宫廷生活的点点滴滴，具有很高的历史研究价值等，这些都是研究价值的具体体现。总之，青瓷器在历史上名瓷荟萃，对于历史学、考古、人类学、博物馆学、民族学、文物学等诸多领域都有着重要的研究价值，日益成为人们关注的焦点。

　　艺术价值较为复杂，如青瓷的造型艺术、纹饰、釉色、釉质、书法艺术等，都是同时代艺术水平和思想观念的体现。如越窑秘色瓷、汝窑天青釉色、龙泉窑梅子青、粉青等精品瓷器更具有较高的艺术价值（图6-87、图6-88）。而我们收藏的目的之一就是要挖掘这些艺术价值。

图 6-88　钧窑青瓷盘·元代

图 6-89 青瓷粉青标本·宋代

图 6-90 青瓷标本·宋代

另外，青瓷具有很高的经济价值。其研究价值、艺术价值、经济价值互为支撑，相辅相成，呈正比关系。研究价值和艺术价值越高，经济价值就会越高；反之经济价值则逐渐降低（图 6-89）。另外，青瓷还受到"物以稀为贵"、窑口等诸多要素的影响。其次就是品相，经济价值受到品相的影响，品相优者经济价值就高，反之则低（图6-90）。总之，影响经济价值的因素很多，具体情况我们在收藏时可以慢慢体会，但显然青瓷的经济价值需要综合判断。

二、保值与升值

青瓷在中国有着悠久的历史，在东汉晚期就已经产生，六朝时期越窑的烧造就达到较高水平（图 6-91）；唐代越窑继续发展，烧制出了秘色瓷等千古名瓷；宋代汝窑青瓷更是无以伦比，开启了官窑与民窑瓷器的先河，与此同时，耀州窑、龙泉窑等名窑荟萃，精品力作犹如灿烂星河。青瓷器在宋代达到顶峰，其影响直至明清，对我们当代也有很大影响。

从历史上看，青瓷是一种盛世的收藏品，在战争和动荡的年代，人们对于瓷器的追求夙愿会降低，而盛世人们青瓷的情结通常水涨船高，会受到人们追捧，趋之若鹜。特别是名窑的青瓷，如越窑、汝窑、钧窑等。近些年来股市低迷、楼市不稳有所加剧（图 6-92），越来越多的人把目光投向了青瓷收藏市场。在这种背景之下，青瓷与资本结缘，成为资本追逐的对象，高品质青瓷的价格扶摇直上，升值数十上百倍，而且这一趋势依然在迅猛发展（图 6-93）。

图 6-91　青瓷标本·元明时期

图 6-92　"类汝似钧"釉青瓷标本·宋代

图 6-93　足汝窑瓷瓶·当代仿宋

图 6-94 类汝釉花口青瓷标本·宋代

从品质上看，青瓷对品质的追求是永恒的。青瓷并非都是精品力作，但人们对于青瓷的追求源自于对于美好生活的回忆。青瓷官民窑兼备，接近生活，具有浓郁的生活气息，正好契合人们的各种美好夙愿。因此，中国古代青瓷具有很强的保值和升值功能。

从数量上看，对于青瓷而言已是不可再生，特别是一些名瓷在当时生产的数量就很少，如汝窑瓷器在宋代生产只供宫廷使用，数量很少（图 6-94），具备了"物以稀为贵"的商品属性，具有保值、升值的强大功能。

总之，青瓷的消费特别大，人们对青瓷趋之若鹜，青瓷不断爆出天价，不断被各个国家收藏者收藏，且又不可再生，所以"物以稀为贵"的局面将越发严重，青瓷保值、升值的功能则会进一步增强（图 6-95）。

图 6-95 龙泉窑青瓷碗·宋代

参考文献

[1] 姚江波 . 古瓷标本 [M]. 沈阳 : 辽宁画报出版社 , 2002.

[2] 张浦生 . 青花瓷器鉴定 [M]. 北京 : 书目文献出版社 , 1998.

[3] 王友忠 . 浙江青田县前路街元代窖藏 [J]. 考古 , 2001 (5): 93-96.

[4] 姚江波 . 瓷器鉴赏收藏手册（第一版）[M]. 北京 : 中国轻工业出版社 , 2009.

[5] 姚江波 . 五招鉴定青花瓷 [M]. 上海 : 上海科学技术文献出版社，2010.

[6] 阮国林，葛玲玲 . 江苏南京市明黔国公沐昌祚、沐睿墓 [J]. 考古 , 1999 (10): 45-56.